漢湘文化
閱讀新視界・生活新主張

漢湘文化
閱讀新視界・生活新主張

漢湘文化

閱讀新視界・生活新主張

漢湘文化
閱讀新視界・生活新主張

歷史經典五

唐浩明 著

曾國藩野焚

卷(二)

出版者序

「曾國藩」一書分血祭、野焚、黑雨三卷，是一部百餘萬字的長篇歷史小說。作者唐浩明先生研究清史十餘年，蒐集的資料堆滿家中書房，對曾國藩及太平天國歷史的考究尤爲深刻。作者以輕鬆的筆調，用小說的方式撰寫此書，內容符合史實，其中人物的刻畫與描寫，生動而傳神，充分發揮了作者的文學才華與史學功力。

此書以曾國藩爲主軸，寫他治軍行事的用人方針，也寫他的處世哲學與人生觀，以清末衆多的歷史人物如朝中大臣——如胡林翼、左宗棠、李鴻章……等爲軸，交織此一長篇鉅著，書中情節的發展，絲絲入扣，能吸引讀者不斷產生興趣，愛不釋卷。

曾國藩是影響清末歷史的一位重要人物，他創造湘軍，以捍衞孔孟名教爲號召，弭平洪揚。其立身行事，爲後代諸多知名人氏所推崇。但作者也藉書中人物表達了歷年來人們的另一種觀點：曾國藩平定太平天國後，囿於忠君敬上，保全己身之小節，白剪羽翼，裁撤二十萬湘軍，無視滿清腐敗、生靈塗炭、救國救民之大義，辜負億萬百姓期望驅除羶腥，恢復神州之熱望，徒讓史冊留下一樁憾事。當然，對歷史的評價，有見仁見智之看法，端視讀者從何種角度去研判！或許當讀者閱覽此書時，對書中之主角會有不同之評論。

此書在大陸出版時，曾造成搶購熱潮，本公司取得台灣版權後，以繁體字印行，也引起熱烈回響。今再版出書，又經細校，期望達到無錯字的地步，或仍有疏漏，尚祈讀者不吝指正。

胡明威

作者序

因緣際會，在一次湖南省由漢湘文化舉辦的台灣區文具玩具禮品大展中認識了漢湘文化的胡明威先生，由於先前曾透過岳麓書社胡社長將版權轉讓給漢湘文化，這一次展覽會中見到了胡先生得悉「曾國藩」一書在台灣的風評極佳，但因書中一直沒有作者的序言，故利用此次展覽的機會，託胡明威先生將序言帶回台灣。

從事清末歷史的研究已有十餘年，所搜集的資料已堆滿了家中的書房，對於曾國藩的考究、太平天國歷史的鑽研尤其感到興趣。由於歷史故事於撰述時若以考究的方式來完成，對於讀者來說，總有枯澀乏味之感，因此在撰曾國藩一書時，除對當時史事的詳加考究之外，也以較輕鬆的小說方式表達，筆者自認對人物的刻畫描寫，下了很大的功夫，並在劇情的發展上力求時時能吸引讀者不斷產生興趣，從而達到對清末歷史的瞭解，對曾國藩、左宗棠、李鴻章的故事有所感。

撰寫歷史小說是一件看似簡單的工程，但是如果內容要符合史實，那就得花下不少的時間加以完成，這一套書的撰寫共計花費了三年的時間，內容亦做了多次的不斷修改，由於有所耕耘，因此在大陸出版時能造成搶購的轟動。目前連社裏均已無存書，希望此次書籍於台灣問市，亦能造成熱潮，也希望購買此套書的讀者，於閱讀完後能夠肯定筆者所做的努力，才能促使有更好的佳作誕生。

最後要感謝岳麓書社社長胡遐之先生、中國湘普電腦公司李昌軍先生、台灣漢湘文化胡明威先生的支持，才能使此書於台灣順利印出出版，也祝此套書籍銷售成功。

目錄

〈卷二〉

第一章 進軍皖中

一 醜道人給曾國藩談醫道：歧黃可醫身病，黃老可醫心病……3
二 曾國藩細細地品味《道德經》《南華經》，終於大徹大悟……19
三 敬勝怠，義勝欲；知其雄，守其雌……28
四 巴河舟中，曾國藩向湘勇將領密授進軍皖中之計……43
五 東王顯靈……56
六 七千湘勇葬身三河鎮……63
七 曾國華死而復生，不得已投奔大哥給他指引的歸宿……74
八 李鴻章給恩師獻上皖省八府五州詳圖……87

第二章 總督兩江

一 天下不可一日無湖南，湖南不可一日無左宗棠……107

二 江南大營潰敗後，左宗棠乘時而起……119
三 想起歷史上的權臣手腕，曾國藩不給肅順寫信感恩……126
四 定下西面進攻的制勝之策……133
五 紋枰對奕，康福贏了韋俊……141
六 施七爹壞了總督大人的興頭……158
七 李元度丟失徽州府……165
八 曾國藩卜卦問吉凶……171
九 李鴻章一個小點子，把恩師從困境中解脫出來……176

〈卷二〉

第三章 强圍安慶

一 圍魏救趙……3
二 調和多鮑……17
三 夜襲黃州府……25
四 上了洋人的大當……36

五　左宗棠宴客退敵……51
六　荒郊古寺遇逸才……60
七　血浸集賢關……74

第四章　大變之中

一　曾老九要把英王府的財寶運回荷葉塘……87
二　鼎之輕重，似可問焉……97
三　東南半壁無主，滌丈豈有意乎……110
四　王闓運縱談謀國大計，曾國藩以茶代墨，連書「狂妄，狂妄，狂妄」……118
五　離國制期滿還差兩天，彭玉麟領來一個年輕女子……127

第五章　幕府才盛

一　《挺經》。「如夫人」與「同進士」。五百兩銀子洗冤案……141
二　今日欲為中國謀最有益最重要的事情，當從何下手……149
三　你還記得初次見我的情景嗎……157
四　安慶操兵場的開花炮彈……179

五　含雄奇於淡遠之中……187

〈卷三〉

第六章　天京大火

一　莊嚴的忠王府禮堂，集體婚禮在隆重舉行……3
二　孤軍獨進，瘟疫大作，曾國荃陷入困境……13
三　彭玉麟私訪水下道，楊岳斌强攻九洑洲……25
四　一別竟傷春去了……41
五　獻出蘇州城後，納王郜雲官也獻出了自己的腦袋……50
六　我們還是各走各的路吧……64
七　半路上殺出個沈葆禎……76
八　洪秀全託孤……86
九　康祿和五千太平軍將士在天王宮從容就義、慷慨自焚……97

第七章　審訊忠王

一　威震天下的忠王被一個獵戶出賣了……121

二　洪仁達供出御林苑的秘密……129
三　攻下金陵的捷報給曾國藩帶來兩三分喜悅、七八分傷感……139
四　陳德風在李秀成面前長跪請安，使曾國藩打消了招降的念頭……147
五　洪秀全屍首被挖出時，金陵城突起狂風暴雨……161
六　寧肯冒天下之大不韙，也絕不能授人以口實……169
七　爭奪幼天王……178

第八章　殊榮奇憂

一　李臣典不光彩地死去……197
二　皇恩浩蕩，天威凜冽……205
三　榮封伯爵的次日，曾國荃病了……213
四　倚天照海花無數，流水高山心自知……221
五　匕首和珊瑚樹打發了富明阿……232
六　御史參劾，霆軍譁變，曾國藩的憂鬱又加深了一層……244
七　恭王被罷，曾國藩跌入恐懼的深淵……255

八　秦淮月夜，曾國藩强作歡顏，爲開缺回籍的弟弟餞行……………………………………………………………………………………261

第三章　強圍安慶

一　圍魏救趙

曾國荃帶著弟弟貞干，統帥吉字營、貞字營一萬四千人屯於安慶城下，已有七八個月了。他採取的仍是過去圍吉安的老辦法，穩紮穩打，長久圍困。曾國荃是個以蠻出名的人，他遇事不幹則已，幹則非達目的不可，拼上血本，甚至貼上老命也不在乎。那時安徽連年戰爭不息，皖中、皖南，太平軍和湘勇打得你死我活，皖北捻軍、苗沛霖團練、勝保袁甲三的綠營之間也鬥得難分難解。從咸豐三年開始，七八年間無一日無戰火，無一地無硝煙，再加上乾旱、蝗蟲，眞個是天災人禍，集於一時，東南八省以安徽百姓受苦最爲深重。史書上記載的易子而食、折骨而炊的事，在這裏常可見到。人肉公開出賣，一斤標價從八十文到一百二十文不等。曾國荃將軍中一千石積壓發霉的陳米拿出來，招募民伕，替他挖濠溝。告示一貼出去，安慶府六縣飢民便蜂湧而至。他用這批廉價的勞力，繞安慶城外挖了兩道寬五丈、深二丈的大濠溝，只在南門外靠長江一帶與東門外靠菱湖一段留下兩個缺口。這兩道濠溝相距兩里多路。前濠又稱外濠，用於阻擋援軍；後濠又叫內濠，用於圍住城內的太平軍。吉字營就紮在兩條濠溝之間。曾國荃在湖南新招五千勇，連同原來的五千共一萬人，習慣上仍叫吉字營，實際上已有二十個營了。他按建營初期前、後、左、右的稱呼，將二十個營分成四個部分。四年前，曾國藩曾薦蕭啓江、江繼祖、蕭慶衍、彭毓橘爲吉字營營官。不久，蕭啓江回籍守喪，江繼祖陣亡，蕭慶衍被李續宜拉去。於是曾國藩又薦蕭孚泗、李臣典、劉連捷代替。曾國荃以彭、蕭、李、劉爲分統。每個分統下隸五個營。曾貞干貞字營四千人，分爲八個營。這支人馬，曾國荃私下稱之爲曾家軍。曾國藩將它看成眞正的嫡系，它的糧餉裝備都要優於李續宜、李元度、鮑超、張運蘭、蕭啓江等陸路各部，甚至也比他所喜愛的水師要好。

曾國荃馭勇自有一套與大哥不相同的辦法。他不作什麼忠於皇上之類的訓話，也沒有繁瑣的規章制度，他的辦法很簡單，只有兩條：一是打仗時，所有官勇都要給他死命地打；不肯出力的貪生怕死的，他授權分統、營官、哨官，有權就地處決。二是打完勝仗後恣意享樂。通常是，野戰打贏了，聽任勇丁搶敵屍身上的金銀財寶，直至剝衣服；攻下城池後，讓勇丁快活三日，這三日內不論奸搶擄掠，殺人越貨，一概不問，三日過後再禁止。曾國荃的吉字營保舉比別的營都多都濫，有的營官、哨官把自己在家種田做事的兄弟叔伯的名字也寫進保舉單，曾國荃明明知道，照保不誤。這兩條辦法對農家出身的湘勇來說，最爲實在，因此他手下的官勇人人打仗不怕死，成爲湘勇中極有戰鬥力的一支人馬。曾國藩對九弟「快活三日」的犒勇之法很不滿意，多次勸說，曾國荃當面答應，實際上卻一點不改。他有他的想法：沒有甜頭，誰會爲你賣命？忠君保朝廷，只能跟讀書人說說，種田人出身的勇丁，要的是實實在在的利益。吉字營駐安慶城外久了，前濠外新增了不少店舖，其中以茶樓、烟館、妓院爲多；有的營官哨官乾脆用幾十兩銀子買個逃荒女子，給她蓋個茅棚住下，天天相會，好像要在這裏成家立業，生活一輩子似的。所有這一切，曾國荃一概不管。

安慶城裏却又是另一番景況。守將葉雲來，官居受天福，是從廣西殺出來的老兄弟，英勇善戰，忠直耿介，手下有二萬五千精兵，隸屬英王陳玉成部。玉成打江南大營時，把留守安慶的重任交給了葉雲來。葉雲來深知安慶戰略地位的重要，這個酷愛飲酒的廣西佬，從受命之日起，便戒了酒，並下令所有官兵，非特令不得飲酒。對曾國荃的圍攻，葉雲來作針鋒相對的部署。安慶城牆高大堅厚，不易攻破，只要與外界的聯繫不斷，湘勇圍它三年五載都不在乎。

安慶與外界的聯繫，主要靠的是三條路。

南面的長江是最主要的交通要道，但這條水道却被堵死了。彭玉麟的內湖水師和楊載福的外江水師，像兩座水壩似地將長江攔腰截斷，太平軍的糧船一隻也到不了安慶。葉雲來無水師，只能眼睜睜地看著這條通道丟失。間或有少數洋船夾帶著糧食闖過「水壩」，來到安慶碼頭，葉雲來則以高價收買，使洋人獲利甚多。

城東面有一個大湖泊，名叫菱湖，以盛產菱角出名。此湖雖不大，但它南通長江，東連破崗湖，與縱湖相接。這一帶號稱魚米之鄉，是安徽最富饒的地方。安慶被圍之後，城內的柴米菜蔬主要由菱湖運來。葉雲來爲保全這一條通道，派副手鞏天侯張潮爵帶八千人，沿湖築了十八座石壘，將菱湖牢牢看管。

北門外一條大道連廬江、廬州，歷來是安慶與北面聯繫的主要陸路。離北門十五里處有一險要地段，名喚集賢關。關外山崗起伏，盡是紅色花崗石，當地人叫它赤崗嶺。集賢關猶如一道天門，扼控著安慶通向皖北的這條官馬大道。葉雲來派他手下第一員猛將劉瑲林防守此地。劉瑲林帶領五千精銳之師，沿赤崗嶺建起四座大石壘，如同四大金剛似地將集賢關死死地把守。葉雲來守安慶，運用的正是太平軍行之有效的傳統戰術——守險不守陴。

湘勇和太平軍就這樣對峙著，時打時停，城也攻不下，圍師也不撤。陳玉成幾次親自帶兵救援，都未能突破曾國荃的兩道濠溝。每次打了幾仗後，又因別處戰事緊急，陳玉成又不得不調兵他往。

安慶戰場引起了天王洪秀全的關注，他命令干王洪仁玕設法解安慶之圍。洪仁玕是天王的族弟，自幼飽讀詩書，一心想走科舉功名的道路。洪秀全起義前，曾與他密談過，但他不參加。起義後，洪秀全派人回花縣老家接眷屬，再次邀請他，他又拒絕了。後來，清朝廷通緝洪氏族人，他便離開花縣，尋洪秀全不到，半途折回。咸豐三年去香港，在西洋牧師處教書。第二年離香港到上海，想到天京去，受清軍所阻，只得滯留上海，在洋人辦的學校裏學習天文曆法，這年冬天又返回香港。咸豐九年四月，洪仁玕抱著「聊托恩蔭，以終天年」的思想再次尋找洪秀全。在洋人幫助下，這次終於順利到了天京。

此時正當楊韋內訌之後，石達開又帶兵出走，洪秀全對異姓猜忌甚深，而自己的兩個異母兄又不中用，見到這位學貫中西的族弟，十分歡喜。見面之後，便授與福爵；幾天後又晋封義爵，加主將；不久，又不顧許多大臣的反對，晋封洪仁玕爲開國精忠軍師頂天扶朝綱干王，總理全國軍政，相當於當年楊秀淸的地位。

洪仁玕來到天京未滿一個月，並無尺寸之功，便位居宰輔，完全出乎他的意料。洪仁玕畢竟是個眼界開闊、學養深厚的有爲之士，他決心不負天王重托，忠心耿耿、勤勤懇懇地擔起領導天國軍政這付沉重的擔子。

洪仁玕在香港生活較長時間，對外面世界了解甚多，看到西方國家制度優越，生產發達，很受啓發，有心想把天國治理得如同西方國家一樣的繁榮富强。他參考外國的成功經驗，向天王提出了一套嶄新的建國綱領——資政新篇，試圖從風、法、刑三個方面著手，徹底改變中國的面貌。這個資政新篇受到天王的激賞，只是因爲天國版圖內，幾乎無一塊安寧之地，其中所提出的許多美好的設想，現在都不能實現。他只暫時擱下，集中精力考慮戰事。

干王雖然沒有親臨戰場打過一天仗，但他聰明好學，讀過不少前代兵書，平時也常跟天王閑聊打仗的事，慢慢地也悟到一些用兵打仗的知識。在對天國各大主要戰場作了全面分析之後，干王提出圍魏救趙之計，即以打武昌來解安慶之圍。干王向天王談了這個設想，得到天王支持，並要他和陳玉成、李秀成再細細商量。

陳玉成從皖北戰場星夜趕回天京，李秀成也匆匆離開蘇州忠王府工地。洪仁玕向二王談了大江南北兩岸同時出兵奇襲武昌，以此引誘湘勇兵力西去，從而解安慶之圍的用兵計劃。陳玉成聽畢，立即表示贊同：「干王此計甚好。武昌爲湖廣中心，湘妖糧草輜重，全靠從武昌船運至下游，倘若將武昌奪回，則斷了湘妖的後路；且目前胡妖頭正率湖北綠營的主力駐紮在英山一帶，守武昌城的是滿虜官文，此人是個無才情的圓滑官僚，城裏的兵力亦單薄。武昌告急，胡妖曾妖必然會全力搶救。」李秀成却不同意，無論從哪方面看，洪仁玕的這個想法都不成熟。

「圍魏救趙之策，寫出了我天國軍事史上光輝一頁的，是今年初夏大破江南大營的戰績。」外表看來文弱白淨如同婦人的李秀成，說起話來却聲如洪鐘。他有一個特殊的習慣，一坐下來，左右兩條腿便交換著不停地上下顫動，說話時亦如此。干王在李秀成的心目中並無地位，只是由於等級的限制，也因爲看在天王的面子上，他才表面上服從。李秀成認爲這是一個關係到天國命運的重大戰略決策，他，一個身經百戰的統帥，一個對天國有深厚感情的老兄弟，有責任幫助從未打過仗的干王和比自己小十來歲的英王糾正失誤。「它固然是一個好計策，但並不是任何時候都行之有效的，要看天時、地利、人和。目前正當隆冬季節，天寒地凍，非大規模軍事移動之時，武昌離安慶近千里，圍千里之外的武昌來救安慶，這種圍魏救趙，歷史上少見，且上次的對手和春、張國梁，都是有勇無謀之輩，現在我們面臨的曾國藩、胡林翼，最是老奸巨滑，怕是難以瞞過他們的眼睛。」

李秀成的這番話，說得洪仁玕和陳玉成一時語塞。沉默一會，陳玉成說：「忠王的話不無道理，但我以爲，此策仍可使用。千里圍武昌，固然遠了一點，但長途行軍是我軍的傳統，輕裝疾進，有十天半月也便到了。天氣雖冷，難不倒弟兄們，只要能打勝仗，吃這個苦值得！曾胡老妖雖然奸滑，但他們也不能眼看武昌丟掉不救；武昌一丟，淸妖軍心必然不穩，安慶亦不可久圍。我看還是按干王布置的，我帶皖北十萬人從江北進軍，忠王帶蘇南八萬人從江南進軍，可望正月間在武昌相會。」

洪仁玕也說：「眼下解安慶之圍，只有這個辦法，捨此別無良策。退一步說，即使曾妖不去援救，我們乘隙來個四下武昌，也是一個振奮軍心的大勝利。」

李秀成仍不能接受這個方略，除掉剛才說的天時地利人和不合外，他還有自己個人的小算盤。天京以南廣袤的土地，幾乎都是他率部打下的，這是中國最富裕的地方，他已奏請天王同意，將蘇州一帶改爲蘇福省，將來作爲天國的陪都。李秀成有心把蘇福省按照自己的理想建設成爲眞正的小天堂，正在興建中的忠王府，就是他宏偉建設藍圖中的一個重要工程。所以，李秀成此時不想離開蘇州，但這個理由他不便拿出來。

「蘇南的人馬不能動。躲在上海的凊妖頭目何桂凊、薛煥正與洋人勾結試圖反撲，湘妖蕭啓江部即將逼近溧陽。此時從蘇南調兵西去，無疑方便凊妖乘虛而入。」李秀成又找到了一條重要理由。

「留下一萬人在蘇州，由譚紹光率領抵禦凊妖。」洪仁玕爽快地回答。

「譚紹光難以獨當一面。」李秀成還是不同意出兵。

「陳玉成是個直爽的人，見李秀成再三反對，心裏已不痛快。他開始覺察到李秀成是不願意離開他經營半年之久的蘇福省。這位出生入死奮鬥十年，對天國忠誠不二的王爺，對李秀成在這樣危急時刻，不把天國大局擺在第一位，腦子裏盤旋的總是自己統轄的蘇福省，大不滿意；但想到此刻天國軍事重擔已壓在自己和李秀成兩人的肩上，況且李秀成大十多歲，資格也老得多，不便直接指責他，便沉默不語。洪仁玕心裏也有數，他站起來說：「好了，這事明天再說吧！天王說難得與兩位王爺見面，今晚在金龍殿宴請二位，我們這就進宮去吧。」

洪秀全自住進天王宮後，很少接見文武臣僚，當年生死與共的戰友日漸疏遠。陳玉成、李秀成也有大半年未見天王了，聽說天王設宴，便都高興起身。

三人出了干王府，走進黃龍大轎。干王的轎走在前面，由三十六個身穿黃馬褂的轎夫抬著；英王的轎排在第二，忠王的轎排第三，都由二十四個轎夫抬，也一律穿黃馬褂。黃龍大轎的前面擺著三位王爺的全副執事，後面跟著百多個佩劍持戈的衛士。這列轎隊逶逶迤迤，綿延里把路長。洪仁玕把貼身侍衛叫到轎邊，小聲吩咐幾句，侍衛先騎馬去了。干王府設在城南三坊巷原江寧縣署。這一列氣勢非凡的轎隊出了顧樓，穿過司門口，走過府東大街，從堂子巷轉到太平街，然後進入花牌樓，一到衛巷，雄偉壯麗的天王宮便出現在眼前了。

經過幾天的大興土木，天王宮已全部建好了。一道周長七八里，高達三丈的黃色琉璃牆圍的是外城，名曰太陽城。太陽城裏有一座內城，名曰金龍城。金龍城中有一座大宮殿，名曰金龍殿，這就是天王會見大臣的地方。殿後有一個大花園，名曰御林苑。圍繞著御林苑的是一排排宅院，這便是天王和他的八十八名後妃娘娘的寢宮。天王宮裏的一切建築，均以黃金塗飾，門窗用黃綢裱糊，陽光下金光燦燦，遠遠地望去，高高的城牆裏好像圍了一座金山。

三王的轎隊在御溝外停了下來。御溝上建有五座橋，名曰五龍橋。過了橋，迎面而立的是一座高聳入雲的望樓，名曰天台，這是天王每年十二月初十日生日時謝天之所。兩旁各有一座牌樓。左邊牌樓上寫著「天子萬年」，右邊牌樓上寫著「太平一統」四字，都出自天王手筆，字字灑脫，龍飛鳳舞。天台後邊是一道大照壁。照壁與圍牆齊高，寬十五丈，彩繪九條巨龍，這是天王張貼黃榜之處。黃榜係黃綾制就，印龍鳳雲紋，它通常用來寫天王封爵授官的告示。照壁之後，便是朝天門了。

朝天門左、中、右三扇巨門全用黃緞包就，繪上雙龍雙鳳，門上金漚獸環，五色繽紛。門兩旁擺著大鑼四十對，朝天炮二十座。每天早晚天王在內吃飯，門前即齊擊大鑼，又放炮二十響，聲震數里之外，故太陽城附近不見一雀一鳥。進了門，兩旁各有一溜朝房，內外三進，寬敞明亮，這是宮中官員的辦事之處。所有房屋門前一律懸掛著大紅綢燈籠，裏面擺設玉瓶、玉盆、玉碗，其中尤以安放在金龍殿裏的二十四個三尺高的大玉瓶最爲珍貴，這是贊王蒙得恩親自爲天王監製的。天王洪秀全今晚就在二十四個大玉瓶旁邊的大理石條桌上，擺下了一席豐盛的酒菜，招待從前線回京的英王和忠王。

九年深宮生涯，已完全改變了天王當年英俊挺拔的容貌。他渾身顯得肥胖而鬆弛，行動很不方便，站起坐下都要宮女在一旁攙扶，頭髮稀疏，精神不旺，從外表上看，全不像一個四十九歲的中年人，倒有六十開外的年紀了。只是頭腦依然靈敏，語言快捷。天王今夜特別高興，頻頻與兩位寵將乾杯，不停地勸菜，席上談笑風生，妙語連珠。在陳玉成、李秀成的眼裏，此刻的天王，脫掉了神聖尊貴的外衣，露出了傳道和戰爭歲月中親熱豪爽的本性。一下子，他們與天王的關係親密多了。秀成乘機對天王說：「陛下，打武昌的江南一支，你另派人去吧，蘇福省我一時離不開。」

洪秀全一聽，哈哈笑了起來，拉著李秀成的手，親熱地說：「圍魏救趙，秀胞爾是老手了。春夏之間的那一仗，打得多麼漂亮！清妖建了七八年的江南大營，讓爾給砸得稀巴爛，和妖嘔血而死，張妖投河，何妖嚇得屁滾尿流。我天國戰將，從升天的東王算起，有幾個人打過這樣痛快的大勝仗？莫客氣了，這南路一支，非爾親自指揮不可。有爾去，朕就放心了。」

天王這幾句貼心話，說得李秀成心裏異常溫暖，在如此褒獎和信任之下，李秀成還能再說什麼呢？洪仁玕心想：到底天王威望隆重，幾句笑話就解決問題了。他舉起玉杯，興高彩烈地敬了天王一杯，又和英王、忠王乾杯，碰得玉杯叮噹作響。

玉成問：「陛下近來忙些什麼事？」

「近來忙得很！」外面北風呼嘯，但金龍殿裏炭火熊熊，溫暖如春，幾杯酒喝下去，洪秀全感覺身上發燙，他敞開明黃綉龍袍，嚴肅地說，「這兩個月來，我在逐條批閱《聖經》。《聖經》看似淺顯，實則深奧無比，尤其是《聖經》上說的事與我們天國之間的聯繫，朕如果不講清楚，兄弟姊妹們如何知道！朕於是給予詳細指示，今日已全部批完。」

「陛下功德無量！」玉成、秀成齊說。

仁玕在香港時，便對《聖經》很有研究，他想看看天王是如何批的。天王滿口答應，命女承宣官把書案上的那本《聖經》拿過來。

一會兒，女承宣官捧來一本裝潢考究的《聖經》。衆人翻開看時，只見每頁從頭到尾密密麻麻地布滿了蠅頭朱批，字體恭正。看得出，天王對此事十分鄭重，態度非常虔誠。仁玕不由得心頭一熱，自愧不如。他隨手翻開一頁，玉成、秀成都湊過來，三人細看。在《創世紀》第十四章末段邊，《又有撒冷麥基洗德帶著餅和酒出來迎接。他是至高上帝的祭司」句旁，天王批道：「此麥基洗德就是朕。朕在天上下凡，顯此實績，即今日下凡作主之憑據也。蓋天作事必有引。爺前下凡救以色列出麥西郭，作今日爺下凡作主開天國之路。朕前下凡犒勞亞伯拉罕，作今日朕下凡作主救人善引導。故爺聖旨云：『有憑有據正爲多。』欽此」

讀完這段話後，玉成更崇拜天王，秀成納悶不解，仁玕心裏冒出兩個字：荒唐！

仁玕又翻開一頁，見在《約翰》第三章旁，天王批道：「上帝獨一，至尊基督是上帝太子，子由父生，原本一體合一，但父自父，子自子，一而二，二而一者也。」

這一段批文，三王都不甚解其意。於是仁玕合上書，雙手恭還給天王，說：「《聖經》經陛下御批，果然意義都出來了。明日臣即下令刻書衙，命他們從速刻印，天國師帥以上的文武官員人手一部。」

天王高興地命女承宣官收起《聖經》說：「爲慶賀朕今日御批《聖經》完畢，特請諸位看一件稀罕物。」

天王剛說完，另一女官提了一只燈籠進來。玉成、秀成一看，都吃了一驚，原來這只燈籠的罩子不是通常的綢子，而是無色透明的玻璃，又天衣無縫地做成大南瓜似的形狀。這種玻璃燈籠，玉成、秀成還是第一次見到。這也難怪，在一百三十年前的中國，這種玻璃燈籠的確極爲罕見。天王樂呵呵地對著李秀成說：「秀胞，爾不知道，這其實是爾的戰利品。」

李秀成驚得雙目睜起，不懂天王話中的意思。

「四月份打下蘇州後，爾率軍南下，譚紹光在江蘇巡撫衙門發現八個木箱，撬開一看，竟是八只嶄新的圓形玻璃燈籠。問衙門舊書吏，才知是何桂清托洋人從英吉利剛買來的，還來不及用，便做了俘虜了。」

說得大家都笑了起來。天王接著問秀成：「王府蓋得如何了？」

「快蓋好了，還差個把月就完工了。」秀成答。

「好！不要急著完工，把它蓋好點。」天王接過女官遞過來的熱毛巾，擦了擦手和臉，興致高漲，「當年蕭何爲高祖營造未央宮，立東闕、北闕，又建前殿、武庫、太倉。高祖打仗回來，見未央宮建得甚是壯麗，大怒，對蕭何說：天下不安，連年苦戰，成敗尚不可知，宮殿爲何建得如此豪華過度？蕭何說：正因爲天下未平定，所以要造這樣的宮殿，不豪華壯麗，不足以威重天下。高祖於是轉怒爲喜。天王宮的規模是大了些，也有人指責，他們其實不懂朕的用心良苦，朕要借此威重天下呀！」

剛進宮時，玉成、秀成對天王宮的侈麗奢華，心中都頗不以爲然，現在聽天王如此解釋，方才明白。

「當然，諸王的宅院，決不可摹仿天王宮，但既貴爲王府，也就不可草率，都要建造得像個樣子。尤其是蘇州的忠王府，今後是陪都的第一大王府，更要威重。非如此，不可鎮懾四屬。秀胞，蘇州來的這八個玻璃宮燈，仍叫它回蘇州去。朕特爲賞給爾，待忠王府落成之時，懸掛大門上，以壯威儀。明日叫哈唎回他的英國老家一趟，買它幾百個來，每個王府都要掛它幾個。爾回蘇州後，立即調兵遣將，準備西行。王府營建之事，我命蒙得恩代爾主持。天王宮就是他負責建造的，我叫他將忠王府再擴大一倍，造得氣派十足。秀胞，爾就放心去吧！」

多英明的天王，他似乎早已洞察李秀成不願出兵的眞正原因；多寬厚的天王，他給了李秀成意想不到的浩蕩皇恩。李秀成還能說什麼呢？他站起來激動地對天王表示：「謝陛下厚恩！小官服從聖命，速急發兵武昌，以解安慶之圍。」

二　調和多鮑

離開天京後，陳玉成和李秀成便調兵遣將，從長江北、南，兩面分別向西挺進，約好一個半月後在武昌相會。北面陳玉成帶著林紹璋、周國虞、康祿，點起二萬人馬，號稱七萬，由和州過廬州，欲擦過桐城，再走太湖進湖北。爲裝聲勢，陳玉成又約定龔德樹率三萬捻軍南下。在曾國荃看來，陳玉成此舉顯然是沖著安慶而來的。他將這一分析向大哥作了報告。曾國藩決定調多隆阿、鮑超率部在桐城縣掛車河、孫城一帶截擊陳玉成的部隊。

多隆阿這幾年一直轉戰在鄂皖交界之地，時有勝仗，曾國藩素來對他優容相待，復出之後，更有意籠絡他。多隆阿凡有戰績，曾國藩便搶先奏報朝廷。去年，多隆阿已授福州副都統，他感激曾國藩；二人相處，遂日漸融洽。爲使多隆阿更賣力，這次多、鮑協同打援，曾國藩又命多爲主，鮑爲副。但鮑超不理解曾國藩的用心，他不願居於多之下。

「大人，多隆阿的能耐，你老比我更清楚。他哪裏是打仗的材料？我在他之下，日後我的功勞都變成他的了，我不幹！」

「世稱多、鮑，其實多哪裏可以比鮑。」曾國藩笑道：「這點我心裏有數，你放心去。鮑提督的戰功，多副都統是奪不去的。」

高帽子一戴，鮑超高興了：「好吧，我聽大人的。」

鮑超帶著八千人渡江而北，按期駐紮在孔城至羅昌市一線上。按湘勇打仗的一貫作風，紮起二十座營房。營房外挖深溝一道，溝裏插滿竹簽、荊棘。溝外放哨，溝內架炮。營房內外，防守得嚴嚴密密。十天過去了，多隆阿的綠營未到防，陳玉成的增援也未到，鮑超鬆了一口氣。

鮑超統領的霆字營，打仗不含糊，軍紀比吉字營還差。十來天無仗打，勇丁們便不安份了，營中喝酒賭博，營外宿娼嫖妓，把個軍營搞得烏烟瘴氣。鮑超不甚貪女色，偶爾部下送上個漂亮的女人，他也不拒絕，但天一亮，便摸幾個錢打發走，決不留女人在身邊。鮑超最愛的是喝酒，喝酒時又要嫩雞作下酒菜。一日三餐，十斤酒、三隻雞吃下去，不醉不脹。在他的影響下，霆字營的營官哨官都有吃鷄的癖好。十多天住下來，弄得周圍幾十里地面，雞都遭了劫，軍營外四處是雞毛。當地一個老塾師氣不過，給鮑超編了四句歌謠：「風捲塵沙戰氣高，窮民香火拜弓刀。將軍別有如山令，不殺長毛殺扁毛。」鮑超聽了也不在乎。

過幾天，多隆阿帶著一萬綠營來到掛車河紮下。陳玉成聯合龔德樹的捻軍，號稱十五萬，也跟著由北方來，在湘勇駐地十餘里外紮下營來。鮑超疾馳多隆阿營，對多說：「賊兵新來，腳跟不穩，我軍今夜竊營，可挫賊的氣焰。」

多隆阿一貫打老爺仗，不想太勞累：「賊勢浩大，暫勿輕動，過幾天再說吧！」

鮑超心想：「你不去，老子今夜劫營給你看看。」

鮑超回到孔城，傳令秣馬厲兵，半夜待命。後半夜，鮑超帶著兩千精壯勇丁，馱了十餘門火炮出發。副將宋國永問：「鮑軍門，部隊向哪裏開拔？」

鮑超喝道：「不要作聲，跟我的馬走就是了！」

宋國永不敢再問，指揮部隊緊跟鮑超馬後。

時正深冬，夜色很濃，兩千勇丁銜枚疾走。大約走了十四五里，忽聞四周刁鬥聲傳來；再向前走，聲音愈多愈急。官勇們疑惑不解，鮑超下令停止前進。過一會兒，天色漸曉，四周之物依稀可辨，大家定睛細看，一個個大驚失色。原來，鮑超將他們帶到了敵軍營壘之內。鮑超傳令：「不許驚慌，賊正酣睡，沒有防備，正是劫營的好時候。」

說罷，親自點燃一門火炮，對著前面大營放出。轟隆一聲巨響，驚得睡夢中的人懵懵懂懂，不知發生了什麼事情。緊接著十多門火炮一齊開炮，營壘中的官兵暈頭轉向，亂作一團。鮑超騎在馬上，掄起大砍刀，帶頭衝過去，兩千勇丁人人捨命向前，喊殺聲震天動地。原來，鮑超闖進的這片宿營地，正駐紮著捻軍龔得樹的人馬。當龔得樹一眼看見到處飄揚著綉有「霆」字的軍旗，知已碰上了湘勇中最强的部隊，心裏叫苦不迭。龔得樹不知鮑超有多少人馬，這次南下本不是他的用兵計劃，捻軍打仗，素來是打得贏就打，打不贏就走，現在吃此大虧，便乾脆帶著全部人馬北撤回老家去了。鮑超擄掠了不少馬匹甲杖，吹起得勝號，收兵回營。

鮑超的勝利，不但沒有得到主將多隆阿的獎勵，反而使他由羞愧而變得惱怒起來。恰好陳玉成趁霆字營得勝虛驕的空隙，發起一場反攻，鮑超沒有提防這一著，打了敗仗，死了二百來人，後退二十多里。多隆阿抓住這個機會，揚言要向朝廷上一摺，嚴劾鮑超軍紀敗壞，不聽號令，請朝廷將鮑超革職嚴辦。鮑超得知，氣憤已極，吩咐宋國永看管霆字營，一匹快馬跑到東流，向曾國藩訴說委屈。

多、鮑不和，使曾國藩頗傷腦筋。打援，主要靠鮑超的霆字營，不能撤鮑超；多隆阿在安慶附近打仗多年，地形熟悉，也不能換多隆阿。鮑超勇猛，但頭腦簡單；多隆阿硬打不行，但算計尚可。二人要攜起手來，才可以取長補短，相得益彰。早幾年，曾國藩處理這樣的事，必定採取强硬的措施，要麼强迫鮑超聽多隆阿的命令，要不斷然調離多隆阿。但現在的曾國藩，不想用這樣生硬的辦法了。他溫語安慰鮑超，留他住下，一面派人去掛車河將多隆阿請來。

多隆阿來了，身後跟了一個隨從額爾貞。多隆阿雖然能講漢話，却不識漢文，平日公牘書函，凡漢文均由額爾眞誦讀，回信亦由額爾眞代辦，額爾眞也總是跟著他參加各種會晤。

曾國藩客氣地接待多隆阿。寒暄畢，多隆阿問：「不知大人將多某從掛車河喚來有何要事？」

曾國藩神色嚴肅地說：「倘若沒有大事，將軍軍務繁忙，鄙人怎能打擾。」說罷，吩咐荊七：「把那封匿名信件取來給多將軍看。」

荊七進到內室，捧出一封信函來。曾國藩接過，雙手遞給多隆阿，多隆阿隨手給了額爾眞。額爾眞看著看著，臉色很不自在，看完後也不作聲。多隆阿奇怪，問：「信上寫的什麼？說與本都統聽聽。」

額爾眞略爲躊躇後，說：「大人，這封信說駐守在桐城縣南的軍隊軍紀差，騷擾百姓，將百姓家的雞搜括一空。」

「放屁！」多隆阿罵道，「這都是鮑超幹的，怎麼算到老子頭上來了！」

「多將軍莫發怒，這裏還有一封說好的。」說話之間，荊七又從屋裏拿出一封信。

額爾眞看後面露喜色，對多隆阿說：「這封信誇將軍智勇非凡，半夜竊營，幾聲炮響，便轟走五萬捻軍，實不亞當年張翼德在長板坡前一聲怒吼，江水爲之倒流的氣概。」

多隆阿平時常叫額爾眞誦讀《三國演義》以爲樂，並以張飛自比，今見別人眞的把他比作張飛，喜不自禁。只是這竊營之事乃鮑超幹的，與自己無關，話到嘴邊又嚥回去了，臉上紅紅的，頗不自然。曾國藩將這些都看在眼裏，慢慢地說：「我這裏關於多將軍在掛車河一帶打長毛援兵的信還有幾封，就不一一給將軍看了，大致也差不多，有誇將軍戰績輝煌的，也有說將軍不甚檢點的。這些信有一個共同之處，那就是都沒有提鮑超一個字。」

「鮑超搜括雞子的事，也算到我的頭上，眞正可惱。」多隆阿一點也沒察覺到曾國藩的用心，自個兒嘮嘮叨叨。六年前，當多隆阿從江寧奉僧格林沁密令來到武昌時，曾國藩不過一在籍侍郎，湘勇也只是初次獲勝的練勇，他把自己擺在監視者和指揮者的地位。六年後的今天，曾國藩已是實權在握的兩江總督，奉命統率兩江境內所有軍事力量，湘勇戰果累累，威名震天下，根本不是朝廷旗兵、綠營所可比擬的。多隆阿再狂妄，再有僧格林沁這個强後台，他也不敢像過去那樣目空一切了，何況曾國藩對他優禮有加呢？故當曾國藩神色莊重地對他說話時，多隆阿也規規矩矩地以屬下的身份恭聽。

「多將軍，從掛車河到羅昌市近兩萬名兵勇所做的一切，都要算到你的頭上。爲什麼世人會這樣呢？因爲你是那裏朝廷兵勇的主帥，那裏兵勇的是非功過都與你分不開。我豈不知半夜竊營乃鮑超所爲，豈不好吃雞乃鮑超的嗜好，搶雞必定是他的勾當，但我向朝廷稟報，也會如同世人給我寫的信一樣，功也罷，過也罷，都要算到你多隆阿將軍的頭上。眼下，長毛傾數萬人馬前來援救安慶，掛車河一帶的戰場，乃天下第一大戰場，皇上廑注，四海矚目，東南半壁的安危，繫於將軍一人。多將軍只能與部屬精誠團結，萬衆一心打敗長毛，方才不負皇上所託，世人所望；倘若此時與部下不和，貽誤戰機，讓長毛占了便宜，多將軍，你想過沒有，那時你如何向皇上交待？」

曾國藩這幾句話說得多隆阿神色悚然，他心悅誠服地說：「大人指教的是。」

曾國藩見他能夠聽得進，心裏喜歡，繼續說下去：「世以多、鮑並稱，其實我心中有數，鮑如何可與多比？這幾年鮑超能得名，實靠將軍蔭庇。鮑超乃一蠢悍武夫，只知硬打瞎衝，又不懂算計，又不講軍紀，豈可以與將軍比得？將軍出身世家，深通韜略，善覘軍機，馭下有方，愛民如子，古之司馬穰苴用兵，也未必能超過將軍。鄙人之所以將鮑超從以皖南調來，正是讓他有機會跟著將軍學習帶兵之法。日前我已將此種用心與鮑超挑明，鮑超願聽將軍調配，並無二心。況且鮑超勇猛，亦世間少有，只要將軍調配得宜，是可以發揮大作用的。將軍爲打援主帥，鮑超之功，即將軍之功。相反鮑超之失，亦是將軍之失。願將軍愼思。」

多隆阿聽了這番話後，心裏明白過來，不好意思地說：「前向多某器局狹窄了，造成誤會，回去後就向鮑春霆認錯。」

曾國藩笑道：「鮑超早被召來訓話了。今天就在我這裏來個杯酒釋前嫌吧！荊七，去把鮑提督請來。」

一會兒鮑超上來，見多隆阿在坐，高叫起來：「多禮堂，你為何要上奏皇上彈劾我？」

曾國藩喝住：「鮑提督，快不要誤會，多副都統專來接你回去的？」

多隆阿忙站起來，順著曾國藩的話頭說：「春霆兄，切莫聽信謠傳，我如何會彈劾你呢！昨天尋你商討軍事，得知你已到東流，我便趕到東流來接你了。春霆兄，我們一起回掛車河吧！」

曾國藩說：「莫忙，莫忙，在我這裏吃了飯再走，你送給鮑提督那壜古井貢酒，也讓我嚐嚐味。」

多隆阿先是一楞，見曾國藩大笑，也便跟著笑起來。見多隆阿當著曾國藩的面闢了謠，又特地趕來接他，還送了一壜好酒，直腸子鮑超怒氣已消，也咧開嘴笑了起來。

三　夜襲黃州府

陳玉成本只是路過桐城，見捻軍已退回皖北，便趁著打勝仗的機會，在一個月黑星隱的夜晚，率部悄沒聲息地離開了桐城戰場，繼續西進。臨走前，他們將成千上萬面各色旗幟插在山坡上，綁在樹梢上。這一招果然起了作用。直到五天過後，多隆阿、鮑超才知道他們確已離開，但去向不明。

陳玉成的部隊經黃家舖、官莊山過岳西縣，打聽到湖北巡撫胡林翼紮營太湖，便改道穿越司空山，繞過英山縣，隊伍進入了大靈山。周國虞對陳玉成說：「殿下，南邊忠王殿下的人馬還沒有出江西省，我們必須在黃州府渡口過江，才能由南岸強攻武昌。」

陳玉成說：「現在只有走這條路了，不知黃州府的情況如何？」

康祿說：「殿下，我明天帶幾個人去刺探一下。」

「行。挑幾個精幹的弟兄，化裝成客商，進城去仔細看看。明天一早出發，早點回來。」

三天後康祿回來，沮喪地告訴陳玉成：黃州府似乎已得知敵情，城牆上刀槍林立，四道城門把守嚴密；知府許賡藻精明能幹，守城的軍隊是號稱天下第一的鎮筸兵，領兵的正是能征慣戰的鄧紹良。前幾年，鄧紹良已由雲南楚雄協副將升為提督銜安徽壽春鎮總兵。他口出大言：黃州府是一座銅打鐵鑄的關口，長毛一兵一卒休想從這裏經過。

陳玉成、周國虞聽了，心中作難。康祿說：「我再到黃州府裏轉幾天，看可不可以尋到漏洞。」

康祿單槍匹馬再次來到黃州府，找了一家小旅館住下，表面上悠閒自在地四處遊蕩，內中卻憂心如焚。傍晚時分，從知府衙門裏走出一列轎隊。康祿悄悄打聽，得知藍呢轎裏坐的正是黃州知府許賡藻，便偷偷地跟在後面。轎隊穿街過巷，來到西門內文廟前停下。康祿又一打聽，得知文廟現已改作鄧紹良的行轅。康祿想：許賡藻專來拜見鄧紹良，必定有要事，這是個好機會。

康祿回到旅館，換了一身夜行服，乘著月色來到文廟。看看沒有人，縱身上了院牆，再一跳，輕輕地落了地。康祿見明倫堂裏燈火通明，時見端著碗的僕人進進出出，心知許賡藻和鄧紹良一定在這裏喝酒。康祿又一跳，上了明倫堂屋頂，從一個小窗口裏鑽進，學鼓上蚤時遷的樣，將身子緊貼靠近酒桌的樑上，豎起兩耳聽著。

席上果然坐的是鄧紹良和許賡藻兩人。四十多歲的鄧紹良高大肥胖，他脫去外衣，穿著一件緊身黑綉小襖，帽子也沒戴，露出一顆禿頂大頭，正吃得酒酣耳熱，油光滿面。對面的許賡藻五十餘歲年紀，灰灰白白的瘦長臉，五品文官袍服穿在身上空空蕩蕩地，猶如罩在一棵乾枯的老樹上，兩隻筷子整齊地擺在面前，似乎從沒動過。許知府正襟危坐，神色憂鬱地望著鄧紹良說：「軍門大人，聽說大靈山藏著好幾萬長毛，他們一定是來打黃州府的，城裏三千守兵怕是少了點。」

「太守不必擔憂。」鄧紹良用手抹抹嘴巴，帶著酒意，大言不慚地說：「我手下這些鎮筸兵，都是一個當十個的好漢子，三千人足可與三萬人相比。當年長毛僞西王、翼王是何等厲害的角色，攻打長沙，眼看就要破了，我帶著三千鎮筸兵從湘潭一殺來，長毛聞風喪膽，丟盔卸甲，長沙城因此絲毫未損。這事許太守應知道，總不是我吹牛吧！」

吹牛不吹牛，許賡藻不能詳辨，因爲他沒親眼見過，親眼看見的是駐守黃州府兩個月來的表現，而這卻令謹愼的許知府不能放心。他婉轉地說：「將軍神威，天下共仰，鎮筸兵的能戰，也有兩三百年的傳統了，下官豈能不知。只是聽說大靈山中的長毛，領頭的是僞英王陳玉成，這小子很難對付。」

「哈哈哈！」鄧紹良狂笑起來，「許太守，你也太多慮了。陳玉成不過二十來歲的毛頭小子，能擔幾多斤兩？老子戎馬生涯三十年，當守備時，怕那個僞英王還未出娘胎哩！他只能在和春、張國梁的面前討便宜，在我面前，只怕是孫猴子遇到如來佛——打不過手掌心！」說著又哈哈大笑起來，舉起酒杯，說：「許太守，來，放寬心喝一杯，這是我們乾州廳頂頂有名的雪山老窖。」

許賡藻拗不過，端起酒杯，淺淺地抿了一口，細細地嚼了兩根青菜，又提起戰事來：「軍門大人，胡中丞曾跟我說過，黃州、蘄州一起護衞長江天塹，兩州相隔不遠，遇到危難時互相救援。參將劉喜元現帶一千五百弟兄駐紮在蘄州，與下官一向關係融洽。爲確保黃州萬無一失，下官擬請劉參將率部來黃州暫時協助軍門大人幾天，待風聲平靜後再回去，想必軍門大人會同意。」

許賡藻的聒噪不休，已使鄧紹良不快。心想：請蘄州兵來，一切開支反正都是你出，我也樂得有人來分些責任，你他娘的要請你就去請吧！鄧紹良拿起放在桌邊的紅頂傘形帽蓋在頭上，站起身來說：「既然胡中丞有話在先，劉參將那裏，你就去請吧！老兄在這裏寬坐一會，我去上了茅房就回。」

說完，腆著肚子離開座位。對於這種沒有教養的武夫的失禮行爲，許賡藻雖氣憤，但不能作聲，也只好悻悻地站起來說：「時候不早了，我也就此告辭，明早我派人去蘄州。」

次日凌晨，太陽還沒出來，黃州府到蘄州的官馬大道上，一騎快馬在奔馳。馬上坐著一個中年漢子，背上背一個黃包袱，正握緊繮繩，聚精會神地趕路，冷不防一顆石子打在馬屁股上。那馬突然受驚，前蹄騰空，將毫無準備的漢子掀下馬背。正在這時，草叢中飛出一個青年英雄，一隻手鐵鉗似地掐住他的脖子，另一隻手亮出明晃晃的鋼刀。漢子嚇得臉都變黃了，冷汗淋漓，帶著哭腔說：「好漢鬆手，我是個下書的人，身上只有五兩銀子，都給了你吧！」

青年英雄瞪了他一眼，罵道：「誰要你的臭銀子，把馬牽著，跟我走！」

那人乖乖地牽著馬，跟著青年離開大道，來到一片樹林中。原來，這青年英雄正是太平軍殿右十八檢點康祿，他選在這段人烟稀少之處，已埋伏半個時辰了。康祿厲聲問：「你說你是下書的，你下的什麼書？」

漢子低著頭，猶豫著不敢講。

「快說！不說，一刀戳了你！」

那人嚇得連連磕頭，說：「好漢饒命！我說，我下的是求援書。」

「向哪裏求援？」

「向蘄州府劉參將求援。」

「你是什麼人？」

「我是黃州府知府衙門的師爺許清。」

康祿心中高興，果然沒有認錯人。

「起來，跟我走！」

「好漢要我到哪裏去？」許清愈加害怕了。

「休要問，跟我走就是！」

「好漢！」許清又磕頭，「好漢放了我吧，我有公文在身，誤了事要殺頭的呀！」

康祿拉下臉來，吊起雙眉罵道：「你怕知府殺你的頭，就不怕我殺你的頭？你再囉嗦，我這就宰了你！」

許清不敢再求饒，順從地站起來。康祿剝下許清的外衣，撕下一條做帶子，蒙住他的雙眼，將他抓上馬背。兩人騎著一匹馬，飛也似地朝大靈山奔去。

第二天傍晚時，一支千多人的清軍來到黃州城下，領頭的却是官居太平天國地官又正丞相周國虞。昨天，陳玉成、周國虞、康祿一商量，決定利用這個好機會，冒充清軍混進黃州城。太平軍因布匹匱乏，又因常游動打仗，無暇製作軍服，常常從戰死的清軍官兵身上剝衣服穿，故軍中敵軍衣帽極多。許清在威逼下，也被迫就範，答應和他們一起進黃州。

黃州城門早已緊閉，城牆上，幾個鎮筸兵提著燈籠，拿著銅鑼，邊走邊喊：「加强戒備啦！」

「嚴防長毛羅！」

怪腔怪調的湘西土語在夜空中傳播著，使人聽了毛骨悚然。城門頂上，昏暗的紙糊燈籠邊，站著幾個懶洋洋的士兵，正在用不堪入耳的痞話互相逗樂，似乎並沒有發覺，城牆下已來了一支一千多人的隊伍。

周國虞命令許清對著城樓喊話。許清拍馬上前，高喊：「城上是哪位軍爺在值夜？」連喊了兩三聲，才見一個人提著燈籠走過來。那人向下一看，不禁大吃一驚，瓮聲瓮氣地叫道：「你們是什麼人？」

許清在底下喊：「軍爺，不要怕，我是知府衙門師爺許清，他們是撫標中營的弟兄們，是許老爺叫我去蘄州請來的。」

「是許師爺啊，辛苦了！」城樓上那人放了心，語氣變得親熱起來。

許清又喊：「開門吧，弟兄們走了一天的路，又累又餓，開門讓他們進去吧！」

城樓上的人說：「許師爺，你稍微等一等，鄧軍門交代過，長毛就在我們旁邊，不許隨便開門，我稟告鄧軍門再說。」

那人下了城樓，牽過一匹馬，飛速跑到文廟，門衛說鄧紹良在知府衙門，那人又一口氣跑到知府衙門。鄧紹良聽了稟報，說：「既是許師爺親自帶來的部隊，當然是來自蘄州的弟兄們，開門讓他們進來吧！」

「慢點。」許賡藻起身說，「讓我問問是不是劉參將來了，若是他來了，我得親自出城門外迎接。」

許賡藻出了衙門，坐上大轎，很快趕到東門。他爬上城樓，在幾個兵士的保護下，對著下面喊：「許清，是哪位將軍帶的隊伍？」

許清不知如何回答，望著周國虞，國虞說：「你說劉參將有事離不開，帶隊的是守備張永升。」

許清壯著膽子把國虞的話重複了一遍。許賡藻見許清說話不乾脆，又見劉喜元本人沒來，張永升以前沒見過，心裏犯了疑。他叫兵士們多打起幾個燈籠，張大眼睛朝下看，卻什麼也看不清。不能大意！長毛冒充官軍的事時有發生，難保許清不受長毛的挾制。許賡藻想到這裏，大聲說：「許清，你帶張守備進來，其他弟兄都在外面等一會。」

周國虞對康祿說：「你帶著弟兄們守候在這裏，我和國賢一起進去，我會設法打開城門的，到時你要密切配合。」

黃州城東門有三個城門，左邊城門側面開了一道小門，專供夜晚單人進出。小側門開了，許清帶著國虞、國賢進了門。守門的衞兵以爲國賢是張守備的隨從，沒有盤問就讓他進來了。許賡藻下了城樓，在城門邊的小屋裏等候。周國虞走在最前面，許清居中，國賢走在最後。許清知道自己的性命掌握在國賢手中，只得乖乖地跟著，不敢亂說亂動。進了屋，周國虞見一個身著五品文官服的乾瘦老頭坐在那裏，知是許賡藻，便上前施禮道：「撫標中營守備張永升參見知府老爺許賡藻略爲欠身子答禮，盯著周國虞問：「是劉參軍派你來的？」

「是。」周國虞從容回答。

「劉參將自己爲何不來？」

「長毛大股已入鄂東，蘄州軍務繁忙，劉參軍走不開。」

「張守備面生得很，下官以前從未見過。」許賡藻以懷疑的眼光，上上下下地打量著周國虞。

「卑職新從武穴調來蘄州，怪不得老爺不認識。」周國虞早已作了準備。

許賡藻見許清站在旁邊一直不開腔，臉白一陣紅一陣，心裏更是懷疑，他想了一下問：「張守備，劉參將新近生了個公子，請問是哪位如夫人生的？」

這下把周國虞問住了，鬼知道劉喜元有幾個老婆。周國虞停了一會，說：「稟告老爺，我來蘄州不久，不知劉參將的公子出自哪房。」

「胡說！」許賡藻把手往椅把上一拍，站起來大聲說，「劉參軍前天爲兒子辦三朝酒，擺了兩百多桌，蘄州滿城百姓都知道是第三房姨太太所生，你既身爲他的守備，如何能不知道？看來你不是劉參將派來的！」

國虞暗暗地使了個眼色給弟弟，國賢緊握刀把，作好了應急準備。國虞神色自若地反問：「許老爺說我不是劉參將派來的，那麼請問你，我是誰派來的？」

許賡藻一時給問住了。他將國虞又仔細看一遍，只見眼前這個軍官氣概堂堂正正，舉止言談也顯得很有教養，完全不是他平素腦中長毛的形象。他極不自然地笑了一下，說：「張守備，你暫且休息一會，待我問問許清。」轉臉對許清說：「你跟我到屋裏來。」

周國虞心想這一問，豈不露了馬腳！事情到了這般地步，不能再猶豫了。他猛地拔出刀來，對國賢喊道：「三弟，你快去開城門！」

這一聲喊，自然眞相大白。許賡藻大叫：「抓住這兩個賊人！」

國賢一轉身，早已衝出門外。國虞舞起鋼刀，一人對付二十幾個鎮筸兵。鎮筸兵素來強悍，又欺侮國虞只有一個人，便將他團團圍住。周國虞雖武藝高強，畢竟寡不敵衆，漸漸地只有招架之功，沒有還手之力了。一個凶惡的痲子趁空背後插進一刀，國虞慘叫一聲，撲倒在地，血流如注，含恨死去。城門邊，國賢砍倒兩個守兵後，用刀將門栓剁斷，打開了右邊的側門。康祿指揮門外的一千多弟兄衝進城門。這一千多太平軍恰如蛟龍入海，把個黃州府西門攪得波濤翻捲，許賡藻、許清以及城樓上下數百名鎮筸兵盡死於亂刀之下。國賢跑到城樓上，燒起一把沖天大火，埋伏在不遠處的陳玉成望見火光，知城門已打開，率領大隊人馬一陣狂風似地捲進黃州城。黑夜裏，鄧紹良見太平軍如巨浪般滾來，弄不清究竟有多少人，他嚇得心驚膽戰，慌忙集合部隊，胡亂殺了一氣，便從西門逃出城，喪魂失魄地向武昌奔去。

四　上了洋人的大當

陳玉成夜襲黃州府的消息，像一聲驚雷震撼鄂皖戰場。湖北巡撫胡林翼氣得連吐三天血。他清楚陳玉成下一步便是進攻武昌。武昌城裏老弱殘兵加起來不足四千，且無一得力之將，身爲巡撫，丟失了省城，將意味著什麼？胡林翼決定立即回援武昌。但太湖的兵不多，安徽戰場上，他可以調動的兵力只有兩處：一是多隆阿的綠營，一是曾國荃的吉字營。當年多隆阿從江寧調到湖北，名義上隸屬湖北巡撫掌管，盡管多隆阿本人已升爲福州副都統，但湖北巡撫仍可視軍事情況調派。曾國荃在咸豐七年九月復出時，聽命於胡林翼，後來歸於曾國藩的統一指揮，但與胡仍有上下之間的舊關係。但現在多隆阿、曾國荃既已接受曾國藩的統率，要調他們回援武昌，就必須經過曾國藩的同意，且一調動，就直接影響了圍攻安慶這個重大的戰略決策。恰好歐陽兆熊來太湖軍營作客，胡林翼便託歐陽代他到東流走一趟。

歐陽泛舟東流，受到了曾國藩的熱情款待。他陳明來意，並遞上了胡林翼的親筆信。曾國藩已知黃州府失落的消息，昨天又收到左宗棠從浮梁的來信。左宗棠向曾國藩報告了李秀成統帥大軍斬關奪隘，一路西進的情況，並提醒老朋友注意，李秀成騷擾贛北，其意很可能在安慶。這一點，與曾國藩的分析完全一致。

「曉岑兄，依我之見，四眼狗進攻武昌不是他的目的，他的目的在解安慶之圍。」

「你是說長毛使的是圍魏救趙之計？」歐陽兆熊沒有想到這點。

「正是，長毛慣使這個伎倆。今年三四月間，就是用的這個詭計將張玉良的精兵調往杭州，然後乘機反撲江南大營。這是長毛引爲自豪的得意之筆。潤芝這般聰明的人，怎麼看不出四眼狗的花招！」

這樣一件驚天動地的大事，曾國藩如此冷淡看待，使歐陽頗感意外。

「我想潤芝也會看出長毛的用心，只是他身爲湖北巡撫，眼看省垣危急，怎能置之不救？要救省垣，只有請沅甫和多禮堂了。」

「潤芝聰明一世，糊塗一時，沅甫、多禮堂一走，四眼狗立即就會反撲安慶，經營了將近一年的城圍，頃刻便會化爲泡影。安慶是江寧的屛障。安慶不下，江寧上游之勢仍旺盛，安慶一破，江寧上游之勢則斬殺；上游無勢，賊之氣焰則大衰。那時，東南再派出一支勁旅收復蘇、常，孤城江寧，指日可下。這是我前年和潤芝一起商議後定下的致勝之策，他何以臨事又亂了方寸？」

在這樣混亂的局面下，曾國藩對當前的形勢和未來的前途能有如此明晰的認識，一直置身於戰事之外的歐陽兆熊，對這位文字之交的老父很是佩服。他想，這大概便是曾國藩比胡林翼和其他所有肩負重任者高明之處。

「潤芝日來嘔血嚴重，倘若武昌陷於賊手，潤芝怕也活不了多久了，你總得想個辦法吧！於公於私，武昌都不能丟哇！」

歐陽兆熊是個很重情義的人。正因爲過於重情義，所以他堅持不入官場，盡管曾、胡、左這些年屢次相邀，他都婉謝。他執拗地認爲，一入官場，則身不由己，將會迫不得已地做出許多絕情絕義、得罪朋友的事來。這幾年，他常出沒於曾、胡、左之處，却始終以一個布衣朋友的身份，盡自己的力量爲他們做點事，既不要薪俸，也不受保薦。爲此，曾、胡、左都格外敬重他。曾國藩鄭重地思考著歐陽兆熊的話，忽然想起一件事來。

前些日子，軍機處遞來一份上諭，提到俄國願意出兵幫助朝廷打長毛，並戰代辦南漕海運之事，爲此徵求曾國藩的意見。曾國藩復奏，委婉指出，自古外夷幫助中國，成功之後，每多意外要求，爲防日後要挾，借外兵之事宜緩，以後視其誠意如何再定；至於俄國人願意代運南漕，似可允許。在奏摺末尾，曾國藩鄭重向朝廷建議：目前暫資夷力以助剿漕運，得紓一時之憂；將來師夷智以造炮製船，尤可期永遠之利。這道上諭給他一個重要啓示，是否可以借洋人之力來保衞呢？武昌、漢口都有英、法等國的租界，據彭玉麟日前報告，英國艦隊司令何伯、參贊巴夏禮現正在漢口，多次表示願助湘勇水師之力。這次就請他們出面幫忙吧。

曾國藩這個想法，歐陽兆熊也同意。

「曉岑兄，你明天就回太湖去，要潤芝請官秀峯去會見何伯、巴夏禮。洋人重利，官秀峯有的是古玩珍稀，送幾樣給他們，我想武昌可保無虞。」

就在東流商量如何保武昌時，武昌官場已是一片亂糟糟的了。從鄧紹良帶著殘兵敗將進入漢口的那天起，武昌省垣各衙門的官員們就急得如同窩巢著了火的一羣胡蜂，惶惶不可終日。官文一面匆匆向胡林翼告急，一面草草部署守城兵力。他對守城毫無信心，私下收拾細軟，隨時準備逃走。各糧台軍火總局委員聞警散盡，閻敬銘呼喚不靈，氣得連上吊的繩子都已備好。歐陽兆熊作爲胡林翼的特使，這時急急忙忙來到湖廣總督衙門，將曾國藩的主意告訴他們。猶如一場惡夢初醒，官文等人定下神來。第二天，官文、閻敬銘穿戴整齊，攜著重禮，過江來到江漢關，拜會何伯、巴夏禮。

英國侵華海軍司令何伯，五十出頭，肥頭大耳，腆肚挺胸，坐著不動的時候，倒有一副海軍將領的威風，但一走動，則一蹶一拐地，模樣難看極了。左邊的那隻瘸腿，是前年指揮英法聯軍侵襲大沽炮台時的紀念。作爲一個軍人，他感到這是極大的耻辱。對於中國朝廷和人民，他有一種本能的傲視和仇恨。他的助手，英國駐華外交參贊巴夏禮，則又是另外一番神態。巴夏禮只有三十三四歲，二十年前便來到中國。這個中國通身材碩長、風度翩翩，既有英國紳士的派頭，又受華夏文化的薰陶，顯得溫文爾雅。咸豐六年，巴夏禮任廣州代理領事時，蓄意製造亞羅號事件，挑起第二次鴉片戰爭。去年又參加簽訂北京條約。巴夏禮年紀不大，卻對太平軍和朝廷兩方面都有很深的了解，使得地位和年齡都在其上的何伯，對他也言聽計從。自從北京條約簽訂之後，英國便改變他過去的中立立場，轉而全力支援清廷。幫助官文阻止太平軍進攻武昌、漢口，是一件對清廷，也對英國有益的好事，本可以立即答應，但這個狡詐的職業外交官要借機撈一把。趁著何伯還在拈鬚考慮的時候，巴夏禮開口了：「官中堂，我們願爲貴國效力，但利益均等，是我們英國人奉行的原則，你看呢？」

外交參贊輕輕地搖動二郎腿，栗色皮鞋亮晃晃的，使官文、閻敬銘的褐色官靴黯然失色。

「當然，當然。」官文卑微地點頭哈腰，轉過臉對身後的隨從厲聲輕喝，「還不快把禮品拿過來！」

僕從捧出一個三尺多長的木匣，官文親自打開，一把古色古香的寶劍躺在猩紅金絲絨墊上，綠色刀柄上，幾顆珍珠在熠熠閃光。官文得意地介紹：「這是三年前在江陵楚墓中出土的寶劍。」

巴夏禮欣喜地湊過臉來，說：「江陵，我知道，這是貴國二千多年前楚國的都城。」又對坐在一旁的何伯用英語稱讚，「司令，這是件稀世之寶。」

何伯連忙接過去，貪婪地看著。

「這把劍送給何大人，還有一樣東西送給巴大人。」官文從另一僕從的手中接過一個三十寸見方的木盒。打開木盒，進入眼帘的是一顆徑長一寸的罕見珍珠。這就是那年官文向曾國藩、多隆阿炫耀的三萬兩銀子買來的珠子。官文獻媚地挨著巴夏禮的肩膀，指著珍珠說，「巴大人不要輕看了它，這是一顆夜明珠。今夜你可以試試，黑夜之中，百步內可見它的光芒，三步內可借光讀書。」

「眞有其事？」巴夏禮驚得合不上嘴。

「一點不假，鄙人親自試驗過。」官文合上木盒，「這是送給巴大人的一點薄禮。」

巴夏禮接過木盒，把它放在茶几上，重新坐好，仍舊有節奏地搖動那條穿著發亮栗色皮鞋的腿，對官文說：「官中堂，這兩件東西是給我和司令個人的，我們大英帝國並沒有得到實惠呀！」

官文早有準備，不加思索地說：「只要保得武漢三鎮不落賊手，今後什麼話都好說。前向巴大人說租界狹窄了，我現在正式告訴何司令和巴大人，我們可以把租界地面再擴大一倍，從礄口到江漢關一帶，任憑貴國圈地建房。」

「好，一言爲定！」巴夏禮霍地站起來，興奮地說。

「一言爲定！」官文也姍姍起立，面有隱憂。

次日中午，陳玉成、康祿、周國賢等人正在原知府衙門商議渡江的事，親兵進來稟報：「江面上停泊一隻洋輪，打著英國國旗，想拜會英王殿下。」

周國賢說：「這會子忙得不可開交，哪有功夫見洋鬼子，要他以後到武昌見面吧！」

「慢點。」陳玉成說，「天王講洋人信上帝，是我們的洋兄弟，見見何妨。」

巴夏禮穿著筆挺的西服，邁著規矩的步子走進知府大堂，見大堂上坐著三位年輕的將領。他知道居中的必是陳玉成，便恭恭敬敬地對著陳玉成鞠了一躬，一字一頓地說：「女王陛下政府駐清國外交參贊巴夏禮參見太平天國英王殿下。」

巴夏禮純正的中國話使得在座的太平天國將領們大爲驚訝，也暗自欽佩。陳玉成以手示康祿身邊的雕花木椅說：「請坐。」

「謝謝。」巴夏禮有禮貌地坐下。

在中國政府和人民面前，洋人一貫趾高氣揚，巴夏禮如此謙恭有禮，陳玉成心中歡喜，隨口稱讚：「參贊大人的中國話說得眞好！」

「我十四歲就到中國來了，在中國生活的時間比在英國還久。中國是我的第二故鄉，它悠久的歷史和燦爛的文化，令我景仰不已。」巴夏禮眞誠的態度，使陳玉成等人感動。

「你眞可以算半個中國人了！」陳玉成脫口而出。

「英王殿下封我爲半個中國人，使我榮幸之至。」巴夏禮趕忙答話。

「參贊大人來此有何貴幹？」陳玉成和顏悅色地問。

「我從漢口來，路過黃州府，知貴軍已攻克此城，一來表示祝賀，二來聽說有個朋友在貴軍服務，也想順道看看他。」

長期身處高位，養成了陳玉成尊貴矜持的氣度，今天在外國使者面前，尤爲注重自己的儀表和談吐，他悄悄地將左手捲起的袖子放下，端正自己的坐姿，望著巴夏禮問：「貴參贊的朋友叫什麼名字？」

「他叫呤唎。我來中國之前，曾和他在一個學校讀過書。前年夏天，他由香港到了中國，據說在貴軍服役。」

太平軍中有幾個洋人，不過陳玉成的部隊沒有，他不認識呤唎。康祿見過一面。他接話：

「哈唎是你的朋友？」

「你見過他？」巴夏禮露出驚喜的神色。其實，他根本就沒有和哈唎同學過，只知道有一個青年英國海軍軍官叫哈唎的在太平軍中，在漢口到黃州的船上，巴夏禮想起了他，覺得這是一座與太平軍聯絡感情的橋樑。

「見過一次，是個很可愛的洋兄弟。他不在這裏，他在忠王手下教兵士們的炮術。」

聽說哈唎不在這裏，巴夏禮開始放心大膽地編造謊言了：「可惜，可惜！哈唎去年要我代他為貴國買一艘兵艦和三十門大炮，我已於上月買來，現停在上海碼頭，只等哈唎來取了。」

「有這事？」陳玉成頓時情緒大漲，感激地說：「參贊大人，你可幫了我們的大忙。」

「哪裏，哪裏。貴國有兩句古詩，道是『海內存知己，天涯若比鄰』，何況我們同是上帝的子民，更是眞正的親兄弟了。」

巴夏禮的回答是這樣典雅而得體，使陳玉成、周國賢、康祿與他的距離大為縮短。陳玉成吩咐擺酒款待。一會兒，知府大堂成了宴會廳，陳玉成向客人殷勤勸酒。巴夏禮乘著酒興大大咧咧地說：「貴軍陸戰技術非朝廷之兵可敵，然貴軍水師却不是湘勇水師的對手。」

在田家鎭敗給彭玉麟的周國賢對此感受最深，忙接話：「參贊先生說得正是。曾妖頭水師船上的火炮全是洋炮，船也堅固。」

「貴軍的火炮太原始了，全是鐵鑄的，又重又笨。貴軍重炮炮身比敝國六十八磅的炮身還大，炮口却比六磅炮的炮口還小，這怎麼能打仗呢！」巴夏禮儼然以一副火炮專家的身分說話，對火炮不甚精通的陳玉成等人連連點頭。

「再說，貴軍的兵船，更是比民船還不如，只配在小港小河中裝泥運糞，豈能在大江大河中打鬥！」太平軍歷來忽視水師而看重陸軍，巴夏禮的話說得並不過份。巴夏禮見太平軍的將領都洗耳恭聽，益發來了神，「英王殿下，我給哈喇買的這艘兵艦女王號，是敝國的最新產品，比我們停泊在漢口的爵士號還要好。三十門大炮中有十門六十八磅重炮，十門三十二磅中炮，十門十八磅小炮，全是世界上最優良的火炮。這三十門火炮安放在女王號上，今後可以雄霸長江，將湘勇水師打得落花流水。」

陳玉成想起因水路斷絕，圍困在安慶城內的萬餘名將士，周國賢想起慘死在白人虎刀下的二哥，心裏都在盤算，倘若將這隻女王號買過來，安慶之圍可解，仇可報，豈不太好了！陳玉成心裏還有一個想法，他的前軍和李秀成的後軍，陸戰實力不相上下，若女王號落於李秀成手中，那後軍的水師就絕對强過前軍；相反，若在他的手裏，前軍的力量也就遠遠超過後軍了。

得想辦法從巴夏禮手中要來女王號！

「請問參贊大人，買女王號花了多少錢？」陳玉成問。

「連運費在內，共用去七十萬兩白銀。」

這是一筆龐大的數目，陳玉成目前無力支付。

「哈唎付錢給你了嗎？」周國賢問。

「哈唎哪有這麼多錢！」巴夏禮微笑道，「再說，女王號尚在我的手裏，要等哈唎收到後，由忠王殿下支付。」

中國最富庶的蘇、常一帶，這幾個月來已成爲李秀成的地盤，這一點引起了許多高級將領的不滿，陳玉成對此亦有意見。正因爲有蘇福省，李秀成才可以一次拿出七十萬兩銀子來，而陳玉成却不可能，他心裏更不痛快。武漢三鎮的銀子也不少！想到這裏，陳玉成熱情地對巴夏禮說：「參贊大人，認識你很榮幸。既然哈唎還沒付錢，這女王號就賣給我們吧！七十萬兩白銀，我一兩也不少，如何？」

巴夏禮見陳玉成已上鈎，心來暗喜，嘴上却說：「我們英國人最講信用，女王號是爲忠王買的，現在又轉給英王殿下，怕不合適吧！」

「忠王、英王同是天國的王爺，給忠王、給英王都是一個樣。」周國賢說。

「是倒是一樣。」巴夏禮略作思考後說，「好吧，我現在也急需銀子辦事，如果英王殿下一次能拿出七十萬兩銀子，就把女王號從上海開過來吧！」

陳玉成見巴夏禮鬆了口，心裏高興，說：「七十萬兩銀子，我一時拿不出來，但不出半個月我就可以給你。」

「請問，爲何半個月後又拿得出了？」

「我軍即將攻打武昌、漢口，待武漢三鎮克復後，七十萬兩銀子應不成問題。」陳玉成以充滿著必勝的口氣說。

「什麼？」巴夏禮故作驚訝，「貴軍要打漢口、武昌？」

「是的，敝軍明天即將溯江西上，武昌、漢口指日可下。」

「那我的女王號不能讓給殿下。」巴夏禮斷然地否定了剛才的許諾。

「爲何？」陳玉成對巴夏禮瞬間的改變不可理解。

「殿下有所不知，漢口有大英帝國的租界，有數百名女王的子民，我作爲女王陛下政府派出的外交參贊，有義務保護大英帝國在華的一切利益。」巴夏禮的口氣，儼然是外交桌上的談判。

「請參贊放心，我們不會傷害貴國的租界和人民。」陳玉成也以天國的全權代表的身分，鄭重其事地宣布。

「那是不可能的。」巴夏禮的態度强硬起來，「敝國在漢口的租界已與整個武漢三鎮緊密相聯。武漢三鎮一旦受損，敝國租界的利益就不能不受到損害。因此，女王號不能轉讓給殿下。」

陳玉成頗爲惱火，想不到在自己國家內的軍事行動，居然會受到洋人的掣肘。見陳玉成在猶豫，巴夏禮得寸進尺：「殿下，女王指示我們，不干涉貴國內政，但要保護我國在華的利益。爵士號現正停在鸚鵡洲畔，倘若大英帝國的租界和子民受到損害，爵士號會堅決地履行它的神聖職責！」

一副强盜嘴臉！陳玉成在心裏喊道。依照他的倔强個性，非要怒斥巴夏禮一頓不可，但他冷靜地想著：進攻武昌，女王號得不到，還要遭到爵士號的炮擊，最好能通過外交途徑，使英國不干涉這場軍事活動。他見康祿滿臉憤怒，正要發言，忙用眼色制止了，嚴正地對巴夏禮說：「參贊大人，我們同拜上帝，都是上帝的子女，是親兄弟。我軍打武昌、漢口，是爲了消滅清妖，爲上帝光復中國。你們阻擋我們的行動，無異在拯救清妖！」

巴夏禮見陳玉成態度堅決，便換成和緩的口氣說：「殿下，對你們的事業，雖然女王指示我們保持中立，但我個人是完全支持你們的。爲了我們的友誼，也爲了大英帝國，我現在提出一個折衷的辦法，你們看怎樣？」

「參贊大人請講。」陳玉成忙抓住時機。

「貴軍暫時不要打武漢，待我回到漢口，與敝國領事相商，將租界和子民作出妥善安排後再說。爲答謝貴軍的情意，我願將女王號以半價轉讓給殿下。殿下以爲如何？」巴夏禮側過臉望著陳玉成，殷切地等待著他的答覆。

打武昌，是在天王面前制定的重大決策，能因英國的態度而改變嗎？但打武昌是爲了解安慶之圍，倘若此時以三十五萬兩銀子得一女王號，憑借女王號的威力沖垮湘妖水師對安慶水路的圍困，不同樣也可以解安慶之圍嗎？只要能解安慶之圍，手法可以靈活多樣。這點，想必天王、干王都可以理解。英王拿定了主意。

「參贊大人，我軍可以暫不攻打武昌，但女王號一定要在下個月送達我軍，船價三十五萬兩銀子。」

「爽快！」巴夏禮以彌天大謊圓滿地達到了他的目的。他興奮異常地起身告辭，臨行又送給陳玉成一個虛僞稱頌和空頭許諾：「淸廷的官吏們個個滑溜溜、圓滾滾的，與他們打交道，令人頭痛。英王殿下如此痛快乾脆，果然是眞正打江山的英雄。就這樣說定了，三十五萬兩銀子，下月十五日天京下關碼頭交貨！」

五　左宗棠宴客退敵

陳玉成夜襲黃州府的時候，李秀成正在江西與左宗棠鏖戰。

李秀成率領一萬五千人馬從天京出發，沿著長江南岸，經過當涂、蕪湖、繁昌、青陽一路順利地到達江西境內。左宗棠此時正統率楚軍駐守在景德鎮。他並不知道李秀成此行的目的在攻取武昌，進軍江西只是借道。他推測李秀成的軍事行動，其目的在以擾亂江西來解安慶之圍。左宗棠籌建楚軍所依畀的大將，正是王鑫的兩個弟弟王開琳、王開化。王氏兄弟對大哥在曾國藩那裏所受到的冷遇深爲不滿，早就傾慕與大哥性格相近的左宗棠，遂全心全意爲左宗棠盡忠竭力。籌建不久的楚軍這幾個月在江西接連打了幾場勝仗，左宗棠對這支軍隊能建大功充滿著信心，決心將李秀成這支人馬全殲於贛北，讓普天之下都知道楚軍的厲害。

這時正是寒冬季節，雨雪霏霏，長途跋涉的太平軍將士又冷又疲，亟待略事休整，並補足糧草。當部隊來到離石門鎮只有三十里遠的時候，李秀成的養子、二十歲的先鋒李容發說：「父王，弟兄們的衣服都淋濕了，得病的不少，軍中糧食也不多了，石門是江皖交界的大鎮，我們何不鼓勵大家拿下石門，進城休息幾天，備足糧草，再向武昌進軍。」

四周的官兵一聽李容發這話，無不欣然贊同，慕天侯譚紹光也說：「容發說得有道理，王爺下令吧，打下了石門，不僅對弟兄們大有好處，傳到天京，對天王陛下也是一個鼓舞。」

因為這次軍事行動，目的在於圍武昌解安慶之圍，所以一路來李秀成很少攻城略地，以免躭擱時間，損失實力。部隊進入江西境內後，他知道左宗棠的楚軍也在江西，更不想與楚軍正面交鋒。不過，糧草不多了，生病的却多起來的事實，作為全軍的統帥，李秀成看在眼裏，也不能置之不顧。他思考良久，然後對李容發、譚紹光說：「暫時不走了，這兩天就在這裏住下，休整休整，派幾個偵探出去探明情況。一是探聽石門鎮內的兵力，弄清楚守城的是左宗棠的楚軍，還是江西的綠營，再到景德鎮去摸清左宗棠的實力。」

當晚，去石門的偵探回報，駐守在石門的不是楚軍，而是巡撫兼提督管轄的綠營，為首的是參將全克剛，手下有二千兵，城內糧草豐富，知大兵壓境，正在全力防守。第二天，去景德鎮的五個偵探，回來二人報告：左宗棠的楚軍五千人，目前全部在景德鎮城內，沒有出城的動向。李秀成得知後，定下攻城的決心，並要求速戰速決。

次日，雨雪停止了，太平軍飽餐一頓後，由李秀成親自率領，向石門發動猛攻。李秀成採用的是太平軍的慣常戰術，數千面戰旗遍地飛舞，幾百面鑼鼓同時敲響，伴隨著槍炮聲、吶喊聲，氣勢十分雄偉，場面甚為壯觀。

全克剛登上城頭，眼見太平軍如此浩大淩厲的攻勢，嚇得心驚肉跳，一面佈置死守，一面飛馬向景德鎮告急，請左宗棠派兵救援。

左宗棠正要尋找機會與李秀成決戰，一展楚軍威風，得知這一危急情況後，立即派王開琳、王開化率領駐在景德鎮的全部五千楚軍，兼程向石門奔去。幕僚楊昌浚提醒道：「季帥，楚軍傾城而出，倘若李逆乘虛轉攻景德鎮，將如何是好？」

「不要緊。」左宗棠胸有成竹地說，「李秀成目前正全力攻打石門；不可能分兵；再說，他如何知道景德鎮的兵力全部出動了！」

「儘管如此，還是要作些佈置，迷惑長毛為好。」楊昌浚對守空城總有點不放心。

「好吧，你就去傳達我的命令：城牆上遍插旌旗刀矛，留城的三百老弱病殘，只要能走得動的，都上城頭，披掛整齊，日夜巡邏。」

王開琳兄弟率領五千楚軍出城的第二天，留在景德鎮城內的三個太平軍偵探，便把城裏的一切都探聽得淸楚了。他們暗自高興，立即派出一個人，將這一重要軍情告訴李秀成，並建議分兵攻打景德鎭。李秀成接到這個諜報後喜出望外，命李容發帶三千人間道奔赴景德鎭。

江西的景德鎭與河南的朱仙鎭、湖北的漢口鎭、廣東的佛山鎭，併稱爲全國四大鎭，乃有名的繁華富庶之城，這裏所燒製的各種精美瓷器，從明代起便享譽海內外。李容發受命後歡喜雀躍，當即點起本部三千人馬，就要開拔。看著養子稚嫩的面孔，李秀成忽然有點不放心。他鄭重叮囑道：「左宗棠老奸巨滑，詭計多端，你到景德鎭城下後，要實地仔細觀察，千萬不可莽撞行事。」

李容發點頭記住了。

當李容發率部來到離景德鎭五十里外的兩路口時，城內已得知這一意外的軍情，楊昌浚急得團團轉，口裏不停地念道：「這如何是好！調兵都來不及了。」

左宗棠心裏也很著急，表面上却仍鎭定如常。他端坐在椅子上，一邊摸著肥肥的下巴，一邊緊張地思考對策：敵軍距城只有五十里了，一個半時辰就可以來到城下，城內的三百病殘絕對不能守衛，調兵來救已不可能，棄城逃跑則更是不可爲的事。怎麼辦呢？一旁的楊昌浚又開腔了：「看來城裏一定藏有李逆的細作，不然，何以王開琳他們一走，李逆便派人來打景德鎭呢？何況派的是他年紀輕輕的養子，帶的只有三千人，這不明明欺負我們是一座空城嗎？」

空城！今亮立刻想起古亮唱的那一曲千古傳頌的空城計。不過，人們都說，空城計是絕唱，只能唱一次，不能唱第二次。左宗棠想到這裏，不免沮喪起來。但是，難道就這樣束手待擒嗎？再是絕唱，事到這等地步，也只得重唱一次了。只要不照搬古人的故事，出點新意，眼前這個二十歲的娃娃將領是有可能被蒙騙過去的。既然他的細作可以傳出城內的軍事力量，那麼也一定會將我的戰文傳出去。左宗棠打定了主意。他一面火速派人傳令王開琳，立即帶領三千人星夜回景德鎮救援，一面在城內唱起他的空城計來。

一時間，景德鎮城內沸沸揚揚，都說王開琳率部在石門城外馬到成功，大敗長毛，活捉了李秀成。楚軍總部衙門張燈結采，放起鞭炮，廚房裏傳出陣陣濃烈的酒肉香味。一會兒，城內文武官員、各大商號老板以及社會名流，紛紛騎馬坐轎，穿戴一新，來到總部衙門。左宗棠穿起四品朝服，在大門外笑容滿面地迎接各方賓客。客人們熱情地祝賀楚軍在石門城外的大捷，有的闊老闆還趕製了題著頌辭的橫匾。左宗棠喜氣洋洋地接受大家的頌揚。衙門花廳裏，二十桌酒席同時擺開。主人向來賓報告了戰況，再次證實已將長毛忠王李秀成活捉，現正由楚軍分統王開琳押送，行走在返回景德鎮的大道上。一到城裏，便將在十字街口示衆三日，然後押到京師，向皇上獻俘。

住在景德鎮裏的浮梁縣丞虎中艮代表地方各界向左宗棠致謝致敬，並當場將一柄特大黃綾萬民傘，由一個大漢舉著，送給楚軍統帥。左宗棠毫不謙讓地接過。

與酧門酒席相照應的是全城四門洞開，守門的兵勇也杯盤相碰，開懷暢飲，全然不知道李容發的三千大軍正在向這裏壓過來。

這些情況，都被留在城裏的兩個太平軍偵探一一看在眼裏。他們先是驚訝，繼而略表懷疑，最後，當親眼看到左宗棠和各方來賓酣然醉倒在花廳時，他們不得不完全相信了。城內不可久待，估計攻打景德鎮的人馬正在半路中，兩個偵探遂急忙溜出城門，向西北方向奔去。

剛出城外二十里，就碰到了李容發。偵探把在景德鎮城內所聽到的消息告訴了他。

「眞有這事？」李容發聽後大吃一驚。他瞪起虎眼望著兩個偵探，不能相信這是眞的。

「少將軍，一點不假。左宗棠擺了二十桌酒席慶賀，我們混進了宴會廳，親耳聽到左妖頭對著客人宣布，說忠王已被他們捉住了，正在向景德鎮押來。」兩個偵探毫不含糊地肯定。

擺酒慶賀？看來父王眞的被清妖捉了。年輕的先鋒不覺怒火沖天。李容發本是一個廣西永安城外道旁行乞的孤兒。那年他才十歲，父母雙雙病餓死去。小容發無兄無弟。一天，偶爾見從永安城裏衝出的太平軍中，有許多和他年齡相差不多的小孩，便懇求投靠太平軍。他恰好找到了李秀成。李秀成見他生得端正伶俐，便收留他在童子軍裏。容發聰明勇敢，三年後就成爲童子軍的頭領。李秀成在太平軍中的地位也逐漸升高。他生有三個女兒，却沒有一個兒子，一次，李秀成來到童子軍視察，見小容發英姿挺拔，在衆多的童子軍中出類拔萃，心裏高興，摸著他的頭，感慨地說：「我能有一個你這樣的兒子就好了。」

機靈的容發一聽，馬上雙膝跪在李秀成的面前，懇切地說：「若將軍不嫌，我願做將軍的兒子。」

李秀成大喜，況且容發也姓李，姓都不要改，於是笑著對他說：「你眞是天父賜給我的好兒子。」

從此，李容發便來到李秀成的身邊。在李秀成的親自指點下，他進步更快，不久便成爲太平軍中一名出色的年輕將領。去年又升爲總制，已能獨當一面，與清軍打仗了。李容發與養父感情深厚，對養父極爲敬重愛戴。他畢竟年輕，閱歷不多，當時一聽到這個不幸的消息，義憤塡膺，也沒來得及多想，立即下令，全軍掉頭往回走。他心急火燎，拍馬奔跑在最前頭，恨不得立即碰上王開琳，殺他個片甲不留，從淸妖手中救出父王。

當李容發率部折回石門的消息傳到楚軍總部時，左宗棠立即下令關閉城門。他心中畢竟不踏實，再次派出快騎通知王開琳，不管戰事進展如何，都要盡快趕回。又下令城內十五歲以上、五十歲以下的男子都拿起棍棒上城樓。到了傍晚，城外的斥候慌慌張張地進城稟報：長毛李容發又殺回來了！

左宗棠一聽不覺跌足叫苦：「看來這空城計的確只能唱一次！」

原來，李容發走到半路，突然記起父王的教導：「左宗棠老奸巨滑，詭計多端。」他雖然沒有讀過書，也聽人說起過諸葛亮用空城計退兵的故事。心裏想：莫非上了這個老妖頭的當！

李容發叫過身邊的一個兩司馬，悄悄地吩咐他幾句。那個兩司馬立即撥轉馬頭，向景德鎮飛奔。將近一個時辰後，兩司馬追上了隊伍，向李容發報告：「景德鎮四門緊閉，城頭走動著手拿棍棒、面色恐慌的百姓。」李容發咬牙切齒地罵道：「這個千刀萬剮的老妖頭，果然中了他的奸計。弟兄們，再殺回去！」

楚軍總部衙門裏再度出現驚恐。左宗棠看著天色漸漸黑起來，心中有了底。他按劍厲聲喝道：「大家都不要慌亂！現在的形勢是我爲主，長毛爲客，天色已經黑了。黑夜作戰，爲主一方占八成優勢；更何況景德鎮城牆高厚，城樓上有的是火藥炮子。憑借著有利的天時地利，我一人可敵長毛十人。即刻傳我的命令：三百名傷病楚軍中選出一百名來，一律充當炮手；上城樓的百姓，獨子的回家，父子兄弟同在的留一人，聽候調派，搬運大炮火藥。長毛放炮放槍，一律不予理睬；若架梯攻城，則以炮子抵擋。只要堅持兩三個時辰，王分統就會率軍趕回。勇敢殺賊的，本帥有重賞；若有臨陣脫逃、動搖軍心者，立斬不赦！」

下達命令後，左宗棠親自披掛上城牆指揮。主帥的氣概，給城內的人心起了很大的安定作用，城牆上的防守隊伍很快地組織起來。城外的李容發見黑夜之中城樓上號令嚴肅，整齊不亂，又見城牆厚實，不敢貿然進攻，只是命令不斷地向城樓射箭放炮，吩咐各旅各師綁紮雲梯，作好攻城準備，只等天一亮，便發動猛攻，務必拿下景德鎮，活捉左宗棠，以洗誤中詭計之羞！

城內城外就這樣對峙著。時正隆冬，天亮得晚。待到辰初時分，天色才漸漸放明。正當李容發準備吹號攻城的時候，却不料王開琳率部急匆匆地趕來了。城樓上，左宗棠見救兵已到，心上的一塊千斤重石驟然落地，忙下令向城下發射炮子，又親自擂起戰鼓。一時金鼓齊鳴，炮火喧天，楚軍前後夾攻，李容發的陣脚大亂起來。激戰半個鐘頭，眼看不能取勝，遂率部衝出王開琳的包圍，向石門鎮奔去。王開琳也不追趕，收兵進城。

當李容發來到石門時，李秀成早趁著王開琳撤軍的大好時機，一舉攻下了石門鎮，全克剛倉皇逃命。雖未抓住左宗棠，但這次軍事行動已圓滿達到目的，李秀成沒有譴責養子。太平軍把石門鎮內的糧食全部帶上，次日傍晚便全軍撤出，按著既定的目標，沿長江繼續向西挺進。

六　荒郊古寺遇逸才

李秀成的部隊來到武寧時，得知陳玉成從黃州府撤兵的消息。千里圍武昌的用兵計劃，他本來就是勉強接受的，現在北岸已撤兵，他正好藉口不執行了，遂立即停止前進。他在武寧、通山、崇陽一帶招募三十萬流亡飢民，率部東歸。圍魏救趙的用兵計劃，就這樣流產了。一個月後，陳玉成才知道上了大當，但後悔已晚。

轉眼到了七月，秋風又起，曾國荃圍安慶，已經一年零三個月了。曾國藩不放心，帶著康福等人親到安慶城外視察。從東流到安慶，只有一百多里水路，午後便到了南門碼頭。國荃、貞干事先都不知大哥的行動，未到江邊迎接，曾國藩一行作普通人打扮，悄悄地上岸，沿著外濠查看。

城內城外都很安靜。但見濠溝寬深，滿插竹簽，兩道濠溝之間，營房相連，炮台林立，時見搬運彈藥、拭刀擦槍的湘勇，間或也可見集合操練的哨隊。曾國藩心裏默默稱讚。快到西門地段，酒店飯舖開始多起來，進進出出的大多數是醉得歪歪斜斜的湘勇官兵。飯店旁邊是一家烟館。曾國藩從小窗口向裏面望：昏黑的屋子裏，四處閃著暗淡的火光，土磚壘起的炕上，攤屍一樣橫七豎八地躺著幾個烟客，旁邊堆著解下的上衣佩刀。無疑是軍營裏的人！曾國藩一陣噁心。剛轉過臉，又見對面一座破爛的茅房前，站著三個抹粉擦脂的年輕女子，正笑著向他招手。曾國藩氣得轉身便走，不小心與前面過來的人撞了個滿懷。

「瞎了眼的糟老頭，你是去趕殺場呀！」

曾國藩抬頭一看，前面站著一個酒氣薰天的漢子，正對著他口出惡言。那人右手挽著一個年輕女子，左手提著一個酒葫蘆，曾國藩分不清他是湘勇還是百姓。康福搶上前，指著那人訓道：「無法無天的混蛋，你罵誰來！」

「老子宰了你！」那人甩開身邊的女子，從腰裏刷地抽出一把刀來。曾國藩看見這正是一把刻著「殄滅醜類，盡忠王事。滌生曾國藩贈」的腰刀。他不禁叫了一聲「慚愧」，慌忙把康福拉開了。

咸豐四年曾國藩首次頒贈的刻字腰刀，深受湘勇將官的愛重，後來他又親手頒贈了兩次。

凡得到腰刀者，一律被湘勇視爲英雄。以後，湘勇人員大大擴展，曾國藩無法一個個頒贈，便統一打造，由各軍統領代爲贈送，初時控制很嚴，日久慢慢地鬆了。這腰刀尤以吉字營領得多，發得濫。

曾國藩無心再巡視了，叫康福進濠溝通報。曾國荃一聽，忙帶著弟弟和一批營官親來迎接。曾國藩見兩個弟弟風塵僕僕，營官們也都滿面風霜，遂不忍心指責，在接風宴上，對吉字營貞字營大大地作了一番誇獎慰勉。晚上，在臥室裏，他嚴肅地對兩個弟弟說：「過去，我教你們作文寫字，都强調一個『氣』字。文求氣昌，字求氣貫。文氣不昌，雖道理充分，其文不足稱；字氣不貫，雖筆筆有法，其字不足觀。帶兵亦然。軍營中最重一個『氣』字。作統領者，應時時在軍中培植新氣、勇氣，滌除暮氣、惰氣。打仗爲極苦極烈之事，哀戚之意如臨親喪，肅敬之心如承大祭，方爲軍中氣象。故軍中不能有歡欣之象，更不能有桑中之喜，驕浮淫樂，必招大敗。昔田單之在即墨，將軍有死之心，士卒無生之氣，此所以破燕復齊。及攻打狄時，黃金橫帶，前呼後擁，士卒有生之樂，無死之心，魯仲連策其必不勝。圍安慶一年多進展不大，其原因即在軍中氣不正。明日即嚴令前濠外一切酒樓烟館妓院統統撤除，官勇一律在濠溝內訓練，有未經允許私出外濠者，斬不赦！」

國荃、貞干謹遵大哥之命。幾天後，軍營氣象果然大大改觀。

這天，曾國藩仍著便服，帶上康福，到前濠外再去親自查看一番。一路上，原先的烟館酒樓妓院都已關了門，過去人烟稠密之處，現在明顯地蕭條了，所見到的湘勇，都是帶著伙伕採買油鹽菜蔬的什長哨官，不再是嫖客醉鬼了。曾國藩頗爲滿意。既然知錯能改，且雷厲風行，看來兩弟値得造就。一時喜歡，見前面山林蔭翳，小溪長流，不覺生出一股遊興來。他對康福說：「久聞安慶山水好，我們到前面去看看吧！」

康福陪著曾國藩向山林走去。果然林木青翠，溪水晶亮，眞可去汚滌濁、陶情冶性。山水雖好，人事却令人氣沮。本是水稻收割的季節，眼前却是稻稀草密，田野荒蕪，走了兩三里路，除見到幾個老頭瘦婦有氣無力地捋穀外，田裏不見一個壯年人。「打仗眞是件作孽的事！」曾國藩輕輕地自言自語。

山嘴背後是一個山坳，康福眼尖，指著遠處說：「曾大人，前面大柏樹下有個小屋子，我們到那裏去坐坐，討碗水喝吧！」

二人走近一看，原來是一座小小的寺廟，廟門上方橫寫著三個字：宏毅寺。

曾國藩笑著說：「從沒有見過這樣的寺名。」

「這怕是用的曾子的話：士不可以不弘毅，任重而道遠。」康福猜測。

「和尚不識字，請讀書人取寺名。讀書人不懂佛經，只懂孔孟，就從《論語》中選了這兩個字，造成了這個儒釋結合的廟名。你說是這樣嗎？」曾國藩問。

「我想也可能是一個受了挫折的有志之士，曾在這裏隱居過，為激勵自己，乾脆將原廟名改為這個名字。反正這裏偏僻，沒有幾個人來，也不怕遭別人的譴責。」康福提出他的見解。

「你說的也有道理，這是樁解不開的公案。」曾國藩邊說邊進了廟門。

這個寺廟眞的小，小到就一間一丈見方的屋子。正面供著一尊尺把高的小菩薩，菩薩面前有個石香爐，裏面插著幾支殘香。左邊一張床，床上整整齊齊疊著幾排書，壁上掛一把劍鞘，眞個是三尺寶劍半床書。右邊一張書案，一條凳子，書桌上擺著筆墨紙硯，正中有一頁寫滿字的宣紙，一個朱紅瑪瑙雄獅鎮紙壓在上面，顯得格外引人注目。書案前方牆壁上掛一副對聯：

「把酒時看劍，焚香夜讀書。」

「好，寫得好！」曾國藩稱讚，笑著對康福說：「還是你說得對，現在這裏就住著一位隱士。」

「這個隱士到哪裏去了呢？」康福四處張望，指著小菩薩旁邊說，「大人，這裏還有一道門。」

門虛掩著，一推便開。門外是一塊四方土坪，一個人正背對著他們，在土坪上舞劍。那劍舞得眞好！進如閃電，退若飆風，上下左右飛動起來，劃出一個耀眼的銀盤，如同中秋明月落到人間。

「好劍！」惺惺惜惺惺，康福看得呆了，脫口稱讚。

「誰？」那人急忙收起劍，回過頭問。

曾國藩這下看清了，舞劍的人三十餘歲年紀，面白無鬚，身材適中，正如聯語中所寫的，是一個喜歡舞劍的讀書人，不是江湖上的拳師俠客。曾國藩最不喜歡那些走江湖的劍俠。在祁門時，有一人前來投奔，自稱皖省名俠許蔭秋。武藝的確很好，但曾國藩不收留。幕僚問他何故，他說這種劍俠大多無賴流氓，邪多正少，不遵法度，留之則壞軍紀。名俠尚且不留，此後再無俠客一類的人來投奔了。

「我們是兩個路過的客人，想到這裏討碗水喝。剛才多多冒犯，請足下海涵。」康福答話。

「啊，是兩位客倌，請屋裏坐！」那人豪爽大度地將曾國藩、康福讓進屋裏坐，一邊倒茶，一邊問，「聽口音，客倌不像是本地人？」

「我們是湖南人，聽說安慶正在打大仗，特地來看看。」曾國藩暗思此人必非等閒之輩，有意向他透露點身分。

「客倌膽子也太大了，打仗殺人的地方，有什麼好看的。」那人笑著說。

「足下一人在戰場邊的荒郊古寺裏讀書用功，膽子豈不比我們更大。」康福插話，眼裏流露出敬佩的神采。

「實不相瞞，我在這裏等見一個人，三個月了，一直無機緣。」那人說話坦率。

「足下想見誰？」曾國藩好奇地問。

「湘勇吉字營統帥曾九爺曾國荃。」

曾國藩和康福心裏同時一怔，互相對望了一眼，康福正要答話，曾國藩先開口了。

「足下為何要見曾九爺？」

「想告訴他破安慶之法。」那人毫不隱瞞。

「你為什麼不去找他呢？」康福奇怪地問。

「咸豐八年，我曾經親自闖進曾九爺的哥哥六爺曾國華的帳中，告訴他不要打三河，轉攻廬江。曾六爺不聽我的話，結果弄得全軍覆沒。後來我總結出了教訓，這些帶兵的主帥大概看不起毛遂自薦的人。我這次改變作法，長期住在這裏，我想總有一個得見的機會。」

這人的話勾起了曾國藩的記憶，那夜溫甫不是說過這事嗎？

「足下是江蘇陽湖人？」曾國藩兩目灼灼發光，注視著對方。

「是的。在下正是陽湖人。」那人驚奇起來。

「足下大名叫作趙烈文？」曾國藩進一步追問。

「正是！客倌何以知道？」那人越發驚奇起來，也盯著曾國藩。

「趙先生，我與你神交已久了，不想今日在此相遇，眞是天幸！」曾國藩激動地站起來，走到趙烈文的身邊。

「客倌你是？」趙烈文也站起來，拉著曾國藩的手。

「趙先生，他就是六爺九爺的大哥曾大人。」康福介紹。

「曾大人！」趙烈文納頭便拜，「大人萬安，小人有眼不識泰山。」

「快起來，快起來！」曾國藩扶起趙烈文，「請趙先生收拾書劍，我們一起到九爺軍營裏敍話。」

聽說來者正是那年阻止攻三河的趙烈文，國荃、貞干都另眼相看。吃完飯後，曾氏三兄弟向趙烈文請教破安慶之策。趙烈文從從容容地說：「長毛守城，有句老話，叫做守險不守陴。就是說，精兵良將都放在城外的險要之處，城內的反而是老弱病殘。破安慶，就要從這裏下手。

安慶的險要首在北門外的集賢關。破了集賢關，安慶城一半到了手。次在菱湖石壘，菱湖石壘一下，安慶就是一座孤城。不出十天半月，即使外面不攻，內亂亦必自起。」

曾國荃插話：「集賢關我們打過幾次，石壘堅固，更兼劉瑲林凶猛異常，這塊硬骨頭不好啃。」

趙烈文微笑著說：「集賢關硬攻不能奏效，要採取另一種辦法。」

「惠甫先生，你若幫我們破了集賢關，家兄一定重重保薦你。」曾貞干說。那夜，他親耳聽見六哥說過趙烈文。在他的心目中，此人是個奇人。

「保薦不敢。」趙烈文謙虛了一句，繼續說下去，「集賢關的五千人，的確是安慶守兵的精銳，劉瑲林也可謂長毛中的名將，但劉瑲林的副手程學啓和他的一班子兄弟，却有漏洞可鑽。」

「程學啓是個什麼人？」曾國藩問。

「破集賢關就在此人身上。」趙烈文這句話，將曾氏兄弟的情緒大爲提高了。「在下這幾年在安徽，對此人頗有所了解。他是桐城人，咸豐五年在本省投靠長毛。」

「程學啓家裏還有些什麼人？」曾國荃問。他心裏突然冒出一個主意：將程學啓的家人抓起來，以此要挾。

「程學啓家裏沒有人了，他從小父母雙亡。」

「呵！」曾國荃很失望。

「父母死後，程學啓靠乞討糊口，在下九流中長大，混得了一身好武藝，在桐城縣裏稱王稱霸，爲非作歹，從縣衙門到老百姓，個個都怕他。縣太爺明裏奈何他不了，便使了一個暗法子，用錢買通了盧江城裏幾個無賴。咸豐五年三月的一天，程學啓過二十六歲生日，那幾個無賴接他到盧江喝酒。喝到半夜，程學啓酩酊大醉，無賴們將他的手脚死死捆緊，扛到江邊，對著他的胸口刺了幾刀，登時血流滿地。無賴們見他已死，便一走了之。第二天凌晨，盧江城郊一個姓穆的老太婆到江邊洗衣服，見一個全身是血的大漢在呻吟。穆老太婆嚇了一跳，立即回家叫來兒子穆老三。穆老三把程學啓背到家中，一進屋，他又昏死過去了。穆老太婆給他抹去血，洗淨刀口，穆老三又揀了草藥替他敷上。程學啓醒過來，想起昨夜的事，萬分感激穆家母子的救命之恩，當即認穆老太婆爲乾娘，與穆老三結拜了兄弟。一個月後，程學啓復原了，他知道自己的仇人太多，混不下去，於是乾脆投靠了長毛。程學啓有本事，打仗不怕死，很受陳玉成賞識，年年升官，現在已是監軍了。程學啓在賊中得了勢，當年一班痞子弟兄都來投奔他，這些人大部分也當了官。程學啓對任何人都不講情義，唯獨對穆家母子的恩德不忘。這些年給了穆家不少銀子，但穆家不承認，可能是怕惹禍。」

曾國藩說：「程學啓能知報答穆家的恩，可見良心尚未完全泯滅。」

趙烈文說：「正如大人所說。我想如果能夠買通程學啓，要他在內部發難，外面再配合，集賢關就可以破了。」

曾氏兄弟都認爲這條路値得一試，於是請趙烈文先去廬江找到穆老三，打聽程學啓最近的情況。

幾天後，趙烈文從廬江返回，稟報曾國藩、曾國荃：據穆老三講，程學啓近來心思頗不安定，葉雲來、張朝爵、劉瑲林等人都是兩廣老兄弟，對他始終不能以心相待，監軍當了一年多未得提拔，心中不滿，又對安慶能否守住有懷疑。曾國藩聽後大喜道：「此人可用。」

三人一起細細商討了半夜。

次日晚上，曾國荃帶著彭毓橋、李臣典和趙烈文一起到了廬江城。經過一番威脅利誘，穆家母子終於就範。穆老三利用程學啓給他的令箭，暢通無阻地進了集賢關外的第四個石壘，拜見義兄程學啓。

「程哥。」穆老三哭喪著臉說，「娘病勢沉重，怕只有一兩天日子了，老人家一天到晚叨念著你，想臨終前見你一面。」

程學啓說：「乾娘恩德深重，論情理我應該去送終，但戰事緊急，我離不開。這樣吧，你拿兩百兩銀子去，把乾娘的喪事辦得風光點。」

說罷，立即要親兵去取銀子。穆老三急了，說：「程哥，銀子倒不在乎，你平日送的，我們都存在那裏，娘是想見你一面。你無論如何都要去一下，騎馬去，後天就可以趕回來了。」

程學啓想了一下，說：「好吧，我這就去一趟。」

清早，兩人騎兩匹快馬出發，安慶離廬江只有二百五十里，黃昏時便到了。穆老三將程學啓帶到老母的臥室。程學啓推門一看，不見乾娘，心中生了疑。正要發問，彭毓橘、李臣典手執大刀衝了進來。程學啓情知不妙，忙向腰間拔劍，彭毓橘早已把劍抽走了。程學啓憤怒地問：「你們是什麼人？」又轉過臉去責問穆老三，「老三，這是怎麼回事？」

這時，曾國荃身著正四品道員朝服從門外邁進。程學啓驚問：「你是何人？」

曾國荃哈哈笑道：「程將軍，久仰了！」

穆老三忙說：「程哥，這位便是湘勇吉字營統帥曾九爺。」

程學啓又驚又懼，轉身就要出門，穆老三一把抓住：「程哥，曾九爺特來見你，有要事相商。」

程學啓見門已關，料想走不脫，只得站著不動。

「坐下，坐下好說話。」曾國荃臉型五官全像大哥，唯獨兩隻眼睛細長，一笑起來，就成了兩根線。程學啓極不情願地坐下，心像鼓錘樣跳個不停，見曾國荃並無惡意，才慢慢平靜下來。

「久聞程將軍藝高膽大，恩怨分明，是個眞正的大丈夫，只是出於不得已才屈身事賊，家兄和我深爲程將軍惋惜。」

程學啓仍在莫名其妙中，不知這個死對頭要幹什麼。

「程將軍，你堂堂一條漢子，何必要頂個賊名呢？」見程學啓不開口，曾國荃繼續說：「家兄久慕程將軍大名，特要我用此法將將軍請來，想你不會怪罪。王師圍安慶一年多了，各路援兵正源源而來，陳玉成的人馬被陷在掛車河以北，不得南下一步，李秀成的南路已退回蘇南，安慶不日即將攻克。聞程將軍在長毛中備受兩廣老賊的欺侮，甚不得志，何不反戈一擊，棄暗投明呢？」

曾國荃盯著程學啓，眼中那股凶殺之氣與大哥一模一樣。程學啓心中又緊張起來，暗思：

原來是要我投歸朝廷，看來今日不答應是出不了門，好漢不吃眼前虧，不如假意應承下來。

「曾九爺，今日能在乾娘家裏見識你，眞是幸會。我也早聞曾九爺是個英雄，果然名不虛傳。我投靠長毛，的確也是萬不得已。我的祖父，也是桐城縣裏有點名氣的秀才。我常想：今後死了，還不知在陰間如何見我的祖宗。我早有投奔朝廷之心，只是沒有機會。不知曾九爺是要我現在就跟你去呢，還是出去後率人來歸？」

曾國荃說：「如果程將軍眞心歸順朝廷的話，朝廷仍會眞心相信你，你這次先回去，遇有機會作內應。我們內外進攻，打下集賢關。我今天帶來了一套副將官服。」

曾國荃轉臉對彭毓橘說：「你把它拿出來，給程將軍過目。」

當彭毓橘捧出一套簇新的從二品副將官服時，程學啓眼睛一亮，尤其是帽子上那顆起花珊瑚頂，令他久看不止。盡管監軍的官位也不低，但它究竟比不上朝廷副將的尊貴，程學啓的心動了。

「程將軍，這套副將官服暫存你乾娘這裏，待破安慶城後，我爲將軍親自穿上。」

「願爲九帥效勞！」程學啓站起來，向曾國荃鞠了一躬，然後打馬直奔安慶。

七　血浸集賢關

當曾國荃將與程學啓會見的情形告訴大哥後，曾國藩沉吟片刻說：「程學啓的歸順尚不可靠。那傢伙是個無賴出身，無信義可言，說不定回去後又會變卦。」

趙烈文說：「大人慮及的是，在下還有一計。九帥只管放心猛攻集賢關，我保證程學啓會在壘中作亂。」

說罷，輕輕地說出了他的計謀，曾國藩的臉上露出一絲陰冷的微笑。

爲再次猛攻集賢關，曾國荃作了充分的準備。他調集了大小火炮百餘座，抬槍、鳥槍上千杆，火藥五萬斤，炮子一千箱，集中吉字營精銳八千人，針對著集賢關外、赤岡嶺下四座石壘，布置了一個三面合圍的火力網。炮火猛轟了三天。盡管長期的飢餓和疲勞，使石壘中的太平軍將士體力不支，但大多數人並無二心。他們清楚，擺在面前的只有一條路，即爲保衛安慶血戰到底，此外沒有第二條路可走。尤其是官拜擎天侯的劉瑲林，這個從金田村裏打出來的硬漢子，從沒有在清妖面前有過難色，即使在最困難的時候，他的胸中仍充滿著壓倒一切的英雄氣概。一到夜間，兩軍炮火暫息之時，他便走出一號石壘，到二號、三號、四號石壘中去吊死問傷，鼓舞士氣，指授方略，調配彈藥。這天他來到第四壘，見程學啓正與幾個師帥旅帥在喝酒，便走過去，拍著程學啓的肩膀說：「好兄弟，哪裏弄來的酒？這麼香，饞得我口水都流出來了。」

程學啓忙斟上一大碗遞上，笑道：「侯爺，你也來一碗，這是鄒矮子在酒坊裏偷來的。只是沒有好菜，你用這個將就點下酒吧！」

說著從瓦盆裏抓出一個泡得發黑發臭的鹽蘿卜。劉瑲林一口將酒喝完，咬了一口蘿卜，說：「弟兄們好好打，把眼前這班清妖打退後，我請大家喝古井貢酒，吃狗肉燉蘿卜！」劉瑲林順手將剩下的半截鹽蘿卜丟到瓦盆裏，對程學啓說：「把受傷的弟兄們趁黑夜送回城裏，再運幾千斤火藥炮子來。」說完，走出了石壘。

程學啓從廬江回到石壘後，一連幾夜沒睡好覺，既恐懼又興奮。他對太平軍與朝廷兩者之間，今後究竟誰勝誰負拿不準。以前他也不多想這些。他覺得這幾年過得很快活，吃得好，玩得好，有權有勢，風光體面。他想得很簡單：拚命打仗，爬上更高的官位。太平軍成功了，他一生有享不盡的榮華富貴；打敗了，他就尋一個機會逃走，憑著已有的金錢財寶，下半輩子也會痛痛快快。萬一哪天打死了，死就死，過了這多年的好日子，死了也划得來。現在居然有這樣的好運氣，朝廷送官上門，今後脚踏兩邊船，誰勝都有自己的好日子過。程學啓暗自慶幸那天還算機靈，沒有拒絕曾國荃。他將這個好消息告訴最爲相得的拜把兄弟，拜把兄弟們都很高興，他們也想脚踏兩邊船，圖個一輩子快活。

眼看雙方激戰了幾天，勢均力敵，集賢關難以打破，曾國藩對趙烈文說：「看你的第二步棋了。」

這天下午，穆老三正在家裏閒坐，兩個一胖一瘦的黑漢子走進他的家門。穆老三見兩人來得蹊蹺，忙站起來賠著笑臉說：「二位有何貴幹？」兩個漢子緊繃著臉問：「你是穆老三嗎？」穆老三點了點頭。「實話告訴你，我們是安慶城裏的太平軍。」穆老三心想，一定是程哥派來的人，於是放下心來，招呼他們坐，一面又去倒茶。

瘦子擺擺手，厲聲說：「不要張羅了，我們不是程監軍派來的，我們是擎天侯劉瑲林的人。」

穆老三剛放下的心又提起來了。「有人告發，說前幾天程監軍在你家裏和清妖曾老九見了面，曾老九還送了一套副將官服，有這事嗎？」

穆老三是個未見過世面的人，聽了這幾句話，臉都嚇黑了，心想：這怎麼得了，一旦坐實，腦袋不丟了嗎？好在副將官服已藏在地下，他們搜不出，心裏略安定些，便說：「總爺，沒有這事，這是別人誣告的。」

胖子說：「是不是眞的，我們搜後再說。」說著便把穆老三的家翻個底朝天，並不見副將官服。穆老三愈加鎭定了：「兩位總爺，我說沒這事吧！」瘦子說：「有這事也好，無這事也好，不關我們的事，你陪我們去見擎天侯，當面對他講清楚。」穆老三害怕了：「我家有生病的老母，走不開，你們行行好吧！」胖子惡狠狠地說：「什麼行好不行好，別囉嗦，到擎天侯面前去說話！」兩人不由分說地把穆老三推出家門。門外拴著兩匹馬，瘦子把穆老三拎上馬背，自己坐在他的後面，和胖子一起，揚起馬鞭，兩匹馬飛快地向南邊跑去。

天黑時，三人來到姜鎭，這裏距集賢關只有二十里了。瘦子對胖子說：「老哥，今夜就在這裏舒舒服服睡一覺，明日再進壘吧！」胖子說：「行，今夜咱哥倆暢暢快快地喝兩盅。」

進了伙舖，拴好馬後，兩個漢子大吃大喝起來，足足鬧了一個時辰，都喝得酩酊大醉，爛泥似地倒在床上，死一般地睡著了。穆老三心裏念著：「阿彌陀佛！天賜良機，再不逃走就是傻瓜。」他急忙把桌上的殘湯剩水吃了兩碗，然後躡手躡脚地走出旅店，又不敢去牽馬，怕馬叫起來壞事。往哪裏去呢？回廬江，身上無分文，幾天的路程如何對付？不如乾脆去找程哥，也要告訴他事發了，早作準備。穆老三打定主意，摸黑跑向集賢關。

快要天亮時，穆老三鑽進了四號石壘，將突然變故告訴了程學啓。程學啓一聽，心裏發了毛，想：此事劉瑲林既已知道，這裏就混不下去了，不如先下手為強。程學啓打發穆老三通知曾國荃：明天上午炮響後，四號石壘作內應。

當天夜裏，劉瑲林像往常一樣查看二、三、四號石壘。踏進四號石壘時，正遇見程學啓召集他的幾十號同伙密商明日內應事。程學啓心懷鬼胎地站起來，不自然地倒了一碗酒遞上。劉瑲林接過酒一飲而盡，拍拍程學啓的肩膀說：「老弟，我弄來了幾瓶好酒，明天打完仗後，到一號壘去，我們喝個痛快。」

程學啓心裏一驚：莫不是要抓我了？他訕訕地笑了幾下，敷衍兩句，把劉瑲林打發走了。回頭對伙計們說：「大家都聽到了嗎？明天再不下手，我們就完了。大家都不要手軟，明天狠狠地打，程哥不會虧待你們。」

穆老三的到來，證實趙烈文計策的成功。第二天一清早，曾國荃下令：今天一定要破集賢關，全軍將士都得奮勇向前，不許後退；打下集賢關，論功行賞。

吃過早飯，吉字營一萬湘勇，抬著火炮、抬槍、鳥槍，跨過外濠，向赤岡嶺進逼。曾國荃提著一把大砍刀，殺氣騰騰地在後面督戰。劉瑲林遠遠地看見湘勇張潮似地向石壘湧過來，氣焰比往日更爲囂張。他對程學啓說：「你帶三壘四壘在後面防兩翼，我帶一二壘在前排擋正面，今日清妖來勢凶猛，要多提防。」程學啓暗自高興，滿口答應。

劉瑲林揮舞紅旗，站在一個山坡上親自指揮。一壘二壘築在赤岡嶺下官馬大道兩旁，三壘四壘築在山坡邊，防東西方向。劉瑲林將一、二壘三千五百人全部調出壘外，組成強大的火力網，憑借著居高臨下的有利地勢，給瘋狂進攻的湘勇造成了強大的威脅。湘勇在離石壘半里遠的地方停下來，列隊架炮。只聽得一聲號響，湘勇火炮、抬槍齊鳴，雨點般的彈子打在赤岡嶺的岩石上，濺出星星點點火花，有些較鬆散的岩石則被打得碎片紛飛。吉字營是湘勇中裝備最好的部隊，這些火炮全部是從廣東運來的洋炮，射程遠，威力大，太平軍的土炮遠不是對手。

劉瑲林手中藍旗一揮，全軍臥倒，任湘勇火炮狂轟濫炸不還擊。打過一陣後，曾國荃命令擊鼓衝鋒。萬名湘勇吆喝著向前衝去，約莫衝出四五十丈遠的時候，劉瑲林拿起黑旗一揮，太平軍火炮大作，弓箭亂飛，湘勇飲彈中箭，一片接一片倒下。曾國荃氣得直跺腳，無可奈何，只得傳令收兵。彭毓橘跑過來說：「九帥，長毛土炮射程不遠，我們可以再推進二十丈。」曾國荃滿臉灰塵，氣呼呼地說：「就依你的！傳令所有火炮一律推進二十丈，各營各哨後面緊跟。」

在湘勇向前推進的時候，劉琯林也將部隊作了新的部署，命令程學啓將第三壘調到正面遞補。待第三壘下到山坡時，程學啓將第四壘的八百餘名太平軍喚進石壘。兵士們正感奇怪，只見程學啓猛地跳到石壘中間的土台上，高喊：「弟兄們，安慶城裏糧食已盡，赤岡嶺的炮子已快完了，今天官軍就要打破集賢關了，要活命的跟著我歸順朝廷。」

程學啓的這一舉動，把石壘中的兵士們弄懵了。「媽的，你這反草的妖魔！」話聲剛落，一梭鐵子飛來，程學啓的半邊耳朵打得粉碎。「哪個臭婊子養的！」程學啓一邊捂著耳朵，一邊罵。那打槍的兵士正要起身衝出石壘，一道白光閃過，半個肩膀已被削掉了。這時，兵士們才看清，數十個當官的都一齊抽出了刀，惡狠狠地高叫：「聽程監軍的！」「有不聽話的，剛才這人便是下場！」

原來，這些抽刀的全是程學啓的把兄弟。這一壘都是安徽人，流氓地痞占了多數，平日就跟著程學啓一鼻孔出氣，今日處於這種情形，哪還有人敢再說個不字，便一齊喊道：「聽從程監軍指揮！」

程學啓說：「大家把頭巾摘下來，綁在左手上，等下官軍再進攻時，聽我的命令，火炮朝一、二、三壘的人打。打死的人越多，功勞就越大，現在把火炮抬到壘外。」

程學啓指揮四壘的人衝出石壘，這時曾國荃指揮湘勇發起了第二次進攻，一陣炮彈槍子後，湘勇又向石壘奔來。劉瑲林揮起黑旗，强大的炮子壓住了湘勇的推進。曾國荃氣得大罵：「程學啓這個王八羔子，還不動手，看老子以後不剮了他！」回過頭來大叫，「把穆老三押過來！」一個親兵把穆老三推到曾國荃面前。曾國荃的大砍刀架在穆老三的脖子上。穆老三嚇得面如死灰，雙膝發軟，撲通一聲跪了下來：「九爺饒命，饒命！」

「你這混蛋王八蛋，程學啓爲何還不動手？你想耍弄老子?!」

穆老三結結巴巴地說：「九爺息怒……程學啓他……他親口說……說的……他在壘中內……內應……請九爺稍……稍等一會。」

就在這時，從前面山坡傳來一陣炮響，彭毓橘興奮地說：「九爺你聽，這是程學啓的炮！」

這的確是程學啓從劉瑲林背後打出的冷炮。這一陣炮聲響過後，太平軍躺倒了一大片，大家都驚恐萬分，不知出了什麼事。劉瑲林怒問：「是哪裏打的炮？」身邊親兵答：「侯爺，像是從四壘那邊打來的。」劉瑲林怒吼：「程學啓他發瘋了，火炮朝自家人打！」話音剛落，又一陣炮子打來，火星在劉瑲林脚底濺起。曾國荃狂笑道：「弟兄們，長毛內部打起來了，我們衝啊！」

湘勇個個勇氣倍增，狂呼亂叫地向石壘衝去。當劉瑲林確知程學啓已臨陣叛變時，氣得五臟六腑都要燒出火來，不得已分出一半人來對付背後。

前面湘勇有恃無恐地衝來，後面炮子殘酷地射出，可憐四千餘名太平軍，一個個含恨倒在血泊中。劉瑲林堅持著，眼看人都死光了，只得帶著身邊的一百多名親兵轉過臉來，向關內衝去。誰知程學啓指揮著一陣炮子打來，劉瑲林晃動了幾下，終於倒下了魁梧的軀體。

集賢關四千精銳的覆沒和程學啓的叛變，使安慶守軍的鬥志頓時減去了一大半。就在士氣萎靡的時候，彭玉麟奉曾國藩之令，率領所部內湖水師由南門碼頭上岸，抬著數百條戰船奔向菱湖，將船放入湖中，向菱湖十八壘發起猛攻。這一天，天老爺有意給太平軍作難，大雨如注，足足下了一個時辰，湖水暴漲，沿湖石壘浸水達兩尺多深，火藥全被泡在水中，火炮、抬槍都啞了。彭玉麟藉著天時，乘著集賢關大捷的銳氣，血戰一日一夜，將菱湖十八壘全部摧毀，鞏天侯張潮爵趁亂逃跑了。第二天凌晨，菱湖上漂浮的太平軍、湘勇的屍體，幾乎遮蓋了半個湖面。

隨著集賢關、菱湖的丟失，安慶城徹底孤立了。城內人心浮動，天天都有成批人出來向湘勇投降。曾國荃決定七月十五日向安慶發起總攻，曾國藩制止了。他以神秘的口吻對九弟說：「王闓運上月來信告訴我，欽天監奏，今年八月初一日，日月及水火土木四星俱在張宿五、六、

八、九度之內，金星在軫，亦尙在三十度之內，這是日月合璧、五星聯珠的非常祥瑞，極爲罕見，預示著國家有大喜事出現。國家的第一大喜事，莫過於戰勝長毛。眼下與長毛激戰的有四大戰場：一爲德興阿、馮子材的江寧戰場，一爲左宗棠的贛北戰場，一爲袁甲三、勝保的皖北戰場，一爲安慶戰場。除江寧戰場外，其他三個戰場在最近都可能有突破性的進展，如果誰能恰恰在八月初一這個日子獲得大勝，誰就成了上應天心，下服朝野的福將。沅甫，你看如何呢？」

聽了大哥這幾句話，曾國荃又想起陳廣敷那年在荷葉塘的預言，不禁周身血液沸騰，激動地說：「大哥，我明白了，我要全軍休整幾天，七月二十八日沿城牆開挖一百個地洞，三十夜裏點火，八月初一準時拿下安慶！」

「好！大哥希望於你的，正是這個安排。國家的氣運，曾家的氣運，都在此一擧。」曾國藩久久地握住九弟的手。半晌，又說，「明天早上我要回東流去了。」

「大哥，安慶已是瓮中之鼈，你不親眼看我和厚二把這隻鼈捉到手嗎？」曾國荃不解地問。

「沅甫，大哥離開安慶，正是爲了讓你順順暢暢地在八月初一日那天拿下它。」曾國藩笑著說。

「這是爲何?」曾國荃益發不解了。

「以後再告訴你吧!」

望著九弟迷惑的眼神，曾國藩心中不無悵惘。這些年來的戰事，只要他身處前線，這場仗最後必定以失敗告終。這幾乎是屢試不爽。咸豐四年二月，他帶兵打岳州，結果被太平軍打得逃回長沙。四月打靖港，差點全軍覆沒，而同時塔齊布等人打湘潭，偏偏十戰十勝。咸豐五六年間在江西，凡他參加之仗無不敗，凡他不在場的又一定勝利。上次李元度丟了徽州城，他想再試一次，親帶一支人馬去收回，三仗三敗，結果還是鮑超去辦成了。從那一次以後，他徹底相信了，要想打勝仗，就不能有他在前線。他之所以急著要離開安慶，正是爲兩個弟弟的成功。可惜，這些都不能明說。他只好淡淡一笑，說:「八月初一日，我在東流爲吉字營、貞字營祈禱，等著你和厚二的捷報!」

第四章　大變之中

一　曾老九要把英王府的財寶運回荷葉塘

八月初一日掌燈時分，曾國藩收到了安慶攻克的捷報。看來，「日月合璧、五星聯珠」的非常祥瑞，的的確確的是應在安慶戰場上，應在他曾氏家族身上，這不僅預示著長毛的覆滅，更預示著曾家將成爲當今天下最爲幸運的家族。這一點，馬上就會通過皇上的褒獎而昭示天下。想到這裏，曾國藩興奮不已。他立即在燈下給沅甫、貞乾寫了一封信，向兩位老弟恭賀大喜，並告訴他們明天親來安慶祝賀，兩江總督衙門也隨即遷到安慶。

第二天早起，東風大作，江面上波濤洶湧，船不能行，曾國藩只得留在東流，草擬報喜摺。以往，曾國藩的報捷奏疏，免不了自矜自誇的言辭。復出以後，他牢記陳廣敷的指點，按黃老學說處世，盡去矜誇，一味柔退。「兵者不祥之器，非君子之器，不得已而用之，恬淡爲上。勝而不美而美之者，是樂殺人。夫樂殺人者，不可以得志於天下矣。」「老子這話說得多麼深刻，可惜先前理解不深！」曾國藩想。盡管他內心深處爲安慶的攻克，爲曾氏家族的勃興而矜喜萬分，他的報喜摺卻極平極淡，絕口不提「日月合璧、五星聯珠」一事，也絕口不提曾家三兄弟的謀畫成功，而把一切成績都堆在胡林翼的頭上，「前後佈置規模，謀剿援賊，皆胡林翼所定。」

一來謙讓，二來也借此報答胡林翼這幾年對他的好處。寫好後，他還覺得把這事提高了。想起鮑超前幾天打了一個大勝仗，於是乾脆改作爲鮑超報捷，把攻克安慶之事的文字盡量壓縮，降爲附片。

大風刮了三日三夜，到了第五天早上，長江風平浪靜，曾國藩帶著一班文武幕僚乘船東下。下水船行得快，不到兩個時辰便到了安慶南門碼頭。曾國藩、曾貞乾、鮑超、多隆阿，還有韋俊等，早已在碼頭上等候了。大捷之後重逢，大家都格外高興。

「雪琴呢？」曾國藩發現歡迎的人羣中缺了立了大功的彭玉麟。

「他到池州府去了，過幾天就來。」國荃答。

寒暄之後，曾國藩準備從南門進城。國荃說：「不著急，大哥，今下午先在城外安歇，我和厚二陪大哥看看城外的戰場，明天上午再進城。」

曾國藩說：「也好，我是要細細看一看，好曉得將士們這半個月來攻城的艱辛。赴湯餅會，不能懷抱嬰兒而忘了產婦的苦楚。」

說罷哈哈大笑起來。隨行幕僚都說：「產難之後，好比再生，眞正不容易。」

當天下午，衆人陪曾國藩沿著城牆走了一段路。見缺口毗連，血痕滿目，曾國藩不停地嘆息，感嘆勝利來之不易。

次日吃過早飯後，營房外擺著一長溜轎，除一頂綠呢外，其餘都是藍呢轎。沅甫請大哥進綠呢轎。曾國藩說：「戰事剛結束，到處亂糟糟的，一切都要從簡爲好，牽匹馬來代步就行了，何須費力去找來這麼多的轎！」

沅甫笑道：「長毛當官的最喜坐轎，安慶城裏少說也有百來頂官轎，只是他們喜歡用黃綢黃緞遮蓋，找轎不難，換綠呢藍呢卻費了幾天功夫。」說著，大家都依次進了轎。

安慶城九門，數南門最爲高大、寬闊，這一年多來南門一帶仗打得少，破壞不大。曾國荃選定從南門進城。今天，南門外紮起了一座高大的牌坊。牌坊上裝飾著松枝、綢花，並懸掛著四個大紅燈籠。擔任南門外指揮的是吉字前營分統李臣典。

李臣典字祥雲，今年才二十四歲。邵陽人，從小在湘鄉荷葉塘外婆家長大。人生得孔武有力，打起仗來，衝鋒陷陣，很是勇敢，從曾國藩的身邊來到吉字營後，極受曾國荃的器重。爲把這次入城儀式辦好，李臣典早早地便作了安排。他站在城樓上，遠遠地看見前面一列約有三四十頂轎組成的隊伍，逶迤向南門這邊走來，立即下令作好準備。曾國藩的綠呢大轎離城門還有百把丈遠的時候，南門外排列的十座火炮，相繼對天發射。一聲聲悶雷般巨炮，驚得鳥飛獸走，附近的人紛紛躲進屋裏。入城的氣氛，一下子變得威嚴肅殺。火炮聲停下來的時候，轎隊已來到城門口。李臣典率領百餘名吉字前營的營官哨官，穿著整齊的武官服，筆挺肅立在城門的兩邊。曾國藩忙吩咐停轎。他從轎中走出，雙手撫摸著李臣典的肩膀，感動地說：「李分統，你們爲國家收復名城，厥功甚偉，請受本督一禮。」

說完就要作揖。慌得李臣典忙扶著曾國藩的手說：「大人請上轎。過兩天，吉字前營全體官勇設宴爲大人洗塵。到時，我們還要向大人討賞哩！」

曾國藩快樂地說：「諸位大功，我已向皇上申報了，想不久御賞即可到來。本督恭喜諸位。」說完重新上轎。

曾國荃將兩江總督衙安排在棨升街的英王府。自咸豐三年安慶被太平軍占領後，八年來，歷任安徽巡撫都無力將安慶收回。咸豐六年，檢點陳玉成奉命爲安慶主將，將原巡撫衙門改建爲檢點衙門。以後，陳玉成的官位不斷升遷，檢點衙門也就跟著改爲成天豫衙門、英王府。太平天國講究修繕官衙，英王府於是成了安慶城內第一富麗堂皇的建築。安慶將破時，曾國荃忖度英王府裏一定藏有不少奇珍異寶，遂下了一道命令，任何官衙都可打劫，唯獨不准進英王府。城破的當天下午，曾國荃便帶著貞乾匆匆來到英王府，果然裏面有不少珍寶。他指揮勇丁把這些東西全部裝進一間屋子，然後貼上封條，派幾個勇丁日夜把守。

從南門到英王府沿途大街小巷都已清掃乾淨，每隔十步八步便站著一個執刀持槍的湘勇，氣氛森嚴而威風。曾國藩坐在轎裏不覺感嘆起來：過去看不出九弟有過人之處，這兩年眞是大有長進，且不說攻打安慶的軍事才能，光就從南門進城來一路的安排，就已顯示出大將之才了。想起當年天未亮進武昌，半路遇冷箭，險些喪命的情景，愈發見出九弟不同凡響的氣慨和老練。

轎隊在英王府前停下。「英王府」三字橫匾早已砸爛，換了兩江總督衙門黑底金字豎牌。太平天國喜歡繪畫。英王府裏到處塗畫著有關天父天兄的宗教畫和讚美天王、英王及歌頌太平軍軍事勝利的各種圖畫。現在，它們全部被白石灰遮蓋了，唯獨大門前照壁上的那幅畫還保留著。那是一株盛開紅花的桃樹，樹幹上爬著一隻猴子，猴子手裏拿一根木棍，戳著桃樹杈上的一個蜂窩，四周是驚得亂飛的小蜜蜂。曾國藩佇位在照壁前，問：「這幅畫爲何沒刷掉？」

「大哥！」曾貞乾走上前說：「這是封侯圖。取蜜蜂和猴子的諧音。九哥說這幅圖還要得，這是大哥日後封侯的喜兆。」

「什麼亂七八糟的東西！」曾國藩滿臉不悅，「長毛不學無術，拿猴子來比侯爺，豈不荒唐絕頂！堂堂總督衙門哪能容此不倫不類的塗鴉。趕快把它刷掉。另寫『清正廉明』四字。」

「是！我馬上叫人辦。」

國荃帶著大哥進了臥室，指著屋裏擺的東西說：「這是過去四眼狗住的地方，大哥看哪些要得的就留下，哪些不行的，我叫人搬走。」

曾國藩環視臥室內四周，見臥房佈置得頗爲豪華奢侈，不禁皺緊眉頭說：「屋子裏的東西一件不留，統統給我搬走。把我的那幾口竹箱抬過來，再尋一張舊床，幾條舊桌椅板凳就行了。」

曾貞乾說：「九哥，大哥既不要，就抬到我的房子裏去吧，讓我樂得享受幾天。」

「行，滿崽後來福，都送給你了。」曾國荃笑著一揮手，立時過來十幾個親兵，一窩蜂似地把屋子裏的用具抬了個精光。

曾國荃在英王府裏擺下豐盛的酒席。這頓飯一直吃到夜裏，曾國藩正要解衣睡覺，國荃推門進來：「大哥，有件要緊事跟你商量。」

「什麼要緊事？」曾國藩奇怪地問。

「大哥，過幾天，待城內略微安定後，吉字營托厚二照管一下，我回荷葉塘去休養兩個月。」

「論你前段的勞累，是應當回去休息一下。」曾國藩望著九弟黑瘦的臉，頗爲心疼地說：「不過，依大哥之見，暫時還不要回去，你要乘攻克安慶的軍威，東下無爲、巢縣、含山、和州，作進軍江寧的準備。」

「大哥說的不錯，」沅甫壓低聲音說：「我此番回荷葉塘，名爲休養，其實是要把英王府的財物運回去。」

「四眼狗聚斂了多少財寶？」曾國藩吃驚地問。

「全部封存在後院一間屋子裏，少說也值十幾萬兩銀子。」曾國荃說著，面露喜色。

「你打算全部運回荷葉塘？」曾國藩面有慍色。

「全部運去。」曾國荃毫不含糊地回答，「用船運，我已想好了。用舊木板釘五十口大箱子，估計可以裝完，外面再放些舊書。別人問起，就說運書回家。回來時再沿途買幾箱人參，賞賜這次有功將官。」

「沅甫，你不能這樣做。」曾國藩滿臉正色地說：「軍中餉銀很緊，除吉字營、貞字營外，其他各部都已欠餉多月，你如何能將這筆巨款私自運回家去？再說，世上沒有不透風的牆，你就不怕別人指責你私吞賊贓？此事萬萬不可爲！」

「大哥，你也太認眞了。」國荃微微一笑，不當一回事，「私吞賊贓？軍興以來，不論是八旗兵，還是綠營，哪個帶兵的將帥不私吞賊贓？就拿我們湘勇內部來說，又有幾個將領不將金銀運回湖南老家的？迪庵在世時，運回家的銀子何止十萬二十萬！現在希庵在皖北，又是一船一船地將賊貨運回湘鄉。他家的田少說也有五千畝，記在別人名下的，就更不知有多少了。只有我們曾家，大哥管得嚴，我們幾兄弟都不敢多帶一兩銀子回去。但別人是怎樣看的，大哥想過沒有？沒有一個人相信我們不私吞賊贓，都說黃金堂現在名副其實地堆滿了黃金。」

「誰講這些沒根據的話？」曾國藩氣憤地說。

「講的人多的是，不只是湘鄉縣，全湖南都這樣說。前幾天又有人對我講，說湘鄉縣、長沙城沒有人參買，就有人說，都讓曾家的人買光了！這次我眞的要對不起各位，不但湘鄉、長沙，連衡州、湘潭的人參我都要買光。」曾國荃越說越起勁，嗓門很大。

「小聲點，老九。」曾國藩說：「你這次立了這樣大的功勞，我想皇上必定會有厚賞，估計會放個臬司，也可能是藩司，何必要授反對者以口實呢？」

「我不這樣想。」當過幾年統帥的老九，已不像過去那樣唯大哥之命是從了。他有他自己的一套，只不過跟大哥說話，口氣和神態仍還是恭敬的。「皇上升不升我的官，我看既不在乎我運不運銀子回家，也不在乎別人攻訐不攻訐。在當今這樣的亂世，皇上要的是早日光復他的江山，只要我的吉字營能打仗，他就不能不升我的官！」

曾國荃的話雖欠含蓄，但說的是實情。

「大哥，道光二十三年，你初次放了四川主考，得了二千兩程儀，忙著寄回一千兩，並附一張長的清單，親戚朋友、左鄰右舍都寫到了，我和四哥、六哥當時不理解，自己家裏很緊，得了點錢，何苦要這樣散開。大哥開導我們，說親朋過去支持甚多，有的已年老了，若不早點給他們點錢，以後怕無法報答了；還深情地回憶起南五舅說要給你當伙夫的話。我們看後很受感動，最後完全按大哥說的辦了。大哥，你可能不大清楚，這些年來，因爲你要做清官，家裏沒有多的銀子，致使許多親戚對我們生了怨懟，說是擔了個虛名，一點實惠也得不到。」

曾國藩笑了起來，說：「當我曾家的親戚眞是委屈了他們。」

「大哥，我知道你是要做一個無半點瑕疵給人指責的聖賢，但家產不能不置，子孫的飯碗不能不考慮，至親好友的要求不能不滿足。這種事大哥你就莫管，讓我來做。我不怕別人講，我也不想做聖賢，我講的是實在。再說，安慶城裏的財產都讓弟兄們分光了，僞英王府的東西歸我和貞乾亦不過分。」

「沅甫，我平時是怎樣教你的？才打下一個省城，你就這樣急急忙忙置家產、擺闊氣，倘若以後眞的由你打下江寧，你豈不要把僞天王宮裏金銀都運回荷葉塘？」

見大哥動了氣，老九不再開腔了。這時貞乾進來，手裏拿著一疊紙：「大哥，這是保舉單，各營將士都在催發，你就趕快過目吧！」

曾國藩接過來，一張張地翻看。保舉單上的名字，曾國藩大部分不認識，也弄不清各人的功勞如何，明知其中必有許多不實之處，他也無可奈何，正要提筆簽字，卻突然看見了一個名字，「厚二，這個金益民是不是金松齡的兒子？」

貞乾點了點頭。曾國藩發怒了：「他還只是個十歲的孩子，就請以把總盡先擬補，賞戴藍翎，給人知道豈不笑掉大牙！」

曾貞乾不慌不忙地解釋：「大哥，自從金松齡被處死後，他的老母妻兒活得太可憐了。我知道大哥後來對此事也有些後悔，但人已死，無可挽回，便只有對他的兒子盡點心意了。大哥不要忘記了，金益民的爺爺曾經救過母親大人的性命。」

「到底是個小孩子，又遠在湘鄉，太離譜了。」曾國藩說，口氣明顯地緩和了。

「待到長大成人，只怕仗早就打完了！」曾國荃湊過臉來，插了一句。曾國藩沉吟片刻，再次提起筆來，寫了兩個字：照繕。兄弟三人正準備就寢，外面驟然響起一陣急促的馬蹄聲，大家都深感突兀，不約而同披衣向門外走去。剛出房門，康福捧著一個木匣正從大門口走來：「大人，朝廷來了緊急公文。」

曾國藩急忙接過木匣進了屋。木匣打開了，露出一份兵部信套，上面赫然寫著：六百里日傳遞，送東流兩江總督曾大營。「為何這般火急？」他匆匆拆開信套，一行字跳進眼中，只覺兩眼一黑，手一軟，人癱倒在椅子上，兵部咨文從手中飄落下來……

二　鼎之輕重，似可問焉

原來，兵部咨文報告了一樁天崩地裂的事：咸豐皇帝已於七月十六日駕晏熱河行宮，皇長子載淳即位為新主。大行皇帝臨終前託孤於八位顧命大臣，他們是怡親王載垣、鄭親王端華、六額駙景壽、協辦大學士戶部尚書肅順、軍機大臣穆蔭、匡源、杜翰、焦祐瀛。奉上諭，各省將軍、督、撫、都統概遵成例，不要來熱河叩謁梓宮。

這一會兒，曾國藩回過神來，吩咐九弟滿弟連夜佈置靈堂，傳令闔城官吏，明天一早成服，會集於總督衙門，給大行皇帝行哭拜禮。兩弟走後，曾國藩把房門緊閉，靜靜地思索著這突發的重大變故。

皇上只有三十歲，正當盛年，雖有體弱多病、常常咯血的傳聞，但曾國藩從沒有想到皇上會這麼快地駕崩。儘管這些年來，皇上對自己有過猜忌，但總括來說還是信賴、依偎的，尤其是去年實授兩江總督，這表明猜忌已大爲消除。有此際遇，本人生大幸，正要乘風遠颺，豈料……曾國藩心裏很痛苦，嘆息自己命運多蹇。他拿起兵部咨文，將八個顧命大臣的名字再細細地看一遍。新主只有六歲，國家的大計今後都在這八個顧命大臣的手中，自己的命運、湘勇的命運，乃至東南大局的命運，都將聽命於這八人的安排。八大臣中載垣、端華都是襲爵的王爺，名位極高，人卻平庸，景壽是個駙馬，爲人木訥謹愼，無所作爲，名列第四的肅順，是曾國藩熟悉而欽佩的人。他幹練剛明，早爲朝野所知，尤其是力主起用漢人平亂，足可證明他是滿蒙親貴中有識之士。曾國藩永遠記得，當年的出山，正是基於肅順向大行皇帝的荐舉，而去年的實授江督，更是因爲得力於肅順對大行皇帝的勸說。沒有肅順，說不定會沒有今日的三軍統帥；沒有肅順，說不定現在仍處在孤懸客位的尷尬局面。曾國藩是感激肅順的。但肅順太專權，太跋扈了，積怨甚多，仇人甚多，曾國藩一直審愼地與他保持著不遠不近、不親不疏的關係。另外四人都唯肅順馬首是瞻。端華是肅順的異母兄，載垣與端華親如兄弟。這樣看來，除開一個景壽外，其餘七人都是一黨，這一黨的首領便是肅順。顧命大臣，遠者如南北朝的傅亮、徐羨之，近者如本朝的鰲拜，都沒有好下場。顧命大臣地位太高，權力太大，，既爲別人所嫉恨，又難盡如新主之意。一旦新主羽翼豐滿，根基鞏固，便會嫌顧命大臣的束縛。而顧命大臣又往往自恃功高，不甚敬重新主，也就容易爲新主製造加害的口實。對於這些複雜的君臣關係，曾國藩是揣摩得很透徹的。何況現在這個顧命大臣的首領是如此地剛愎自用，不得人心，又是如此明顯地結黨拉派，自我孤立，他能「顧」得久嗎？曾國藩爲肅順的前程捏著一把汗。

第二天一早，安慶城裏的文武官吏們一齊前來督署，身著素服的曾國藩帶著他們，在大行皇帝的牌位面前三叩九拜，然後放聲大哭。曾國藩想起咸豐帝對他的恩德，動了眞情，眼角邊不斷流出淚水。曾國荃和大部分官吏們只是陰沉著臉，乾號了幾聲。

正哭拜之際，胡林翼趕來了。他是特爲來安慶祝賀的，進城後見到素燈白花，驚問其故，才得知這一消息。胡林翼趕忙驅馬來到總督衙門，來不及與曾國藩等人打招呼，先對著咸豐帝牌位大哭了一通。哭臨結束，曾國藩置辦素酒，爲胡林翼洗塵。吃過飯，二人攜手來到簽押房。曾國藩吩咐荊七，今日一律不見客，他要與這位心心相印、足智多謀的老友暢談當今的局勢。

「大行皇帝駕崩，既感意外，又不感意外。」胡林翼平靜地說。他沒有曾國藩那麼多的憂心，且自己正患咯血，極需保養，他哭臨純粹是演戲。「應甫、壬秋這一年來，信裏都提到聖體不康，京師知內情的人都說，皇上的病難以痊癒。不過，畢竟只有三十歲，也太早了，我又感到意外。」

「大行皇帝即位十二年，長毛就造反十二年，沒有過一天安寧日子。去年洋人兵臨京畿，被迫秋獮木蘭，身體原就弱，又受此奇辱，更是雪上加霜呀！」曾國藩的情緒仍在悲痛之中。

「本來，京師有恭王在那裏應付，洋人的事也平息了，大行皇帝在熱河好好休養休養，身體也就會日漸好轉。偏偏大行皇帝年輕，放任自己，不知愛惜，終於越來越不濟。」胡林翼不悲痛，反倒不講情面的揭穿了咸豐帝斃命的老底。他出身官宦之家，年少時也是個浪蕩子弟。二十歲那年，時任詹事府右春坊右庶子的胡達源，下狠心把兒子死死地打了一頓，這一頓打把胡林翼打轉了，二十四歲鄉試高中，第二年連捷中進士點翰林。胡林翼雖然以後克己修身，但可惜，少年放蕩時得下的痼疾卻害了他一生，不僅身體孱弱，更使他後悔莫及的是，三妻四妾沒有給他生下半個子女。因爲有這層緣故，胡林翼對咸豐帝的死因看得清楚。

素來謹愼的曾國藩從不在人前談論皇上的事，更何況是皇上不光彩的私生活。他有意轉了話題：「新年號定作祺祥。」

胡林翼思考了一下說：「這兩個字像是出自《宋史・樂志》：『不涸不童，誕降祺祥。』」

「正是，正是！」曾國藩十分佩服胡林翼的博學强志。剛接到兵部咨文，看到「祺祥」這個年號時，曾國藩想了很久，想不起出自何典，最後還是身邊的幕僚們翻了半夜的書才查出，不料胡林翼隨口就答了出來！

「這個年號取得好，無疑出自八大顧命大臣之手。國家雖遭大變，有這批老成謀國的大臣掌舵，看來不會出亂子。」曾國藩有意這樣說，他要借此試探一下胡林翼此時的態度。

「滌生，今天就我們兩人，我跟你說句心裏話，對於國事，我沒有你這樣樂觀。」胡林翼的城府沒有曾國藩的深，在多年交情深厚的老友面前，他是願意敞開心扉的。

「上面的事，你素來比我靈通。」曾國藩親手給胡林翼斟上茶。

「顧命八大臣牽頭的名爲載垣，其實不是他。」

「是哪個？」曾國藩明知故問。

「肅順。」胡林翼說。他近來身體很差，時常咯血，本來就略長的臉，這下因乾瘦鬆弛，越發顯得狹長了。「肅順這人聰明能幹，敢作敢爲，自是朝廷中數一數二的人，但辦事手段太狠了一點。咸豐八年爲科場案殺柏葰，至今使人心冷，近來又爲戶部寶鈔處案嚴辦了一批大員，京師物議沸騰。肅順的仇怨太多了。」

「是的，嶢嶢者易折，太剛直的易招怨恨。」曾國藩想起咸豐三年至六年這段期間，在湖南、江西屢遭挫折的事。他現在算是徹底明白過來了，當初若不那樣執意强行，略作些寬容，事情可能會順利得多。還是老子說得好，「將欲取之，必先與之」，關鍵是要最終達到目的，走的路不妨迂迴點。欲速不達，示弱反强，天下事就是這樣的！可惜肅順不明白這個道理。

「滌生，還有一個人，你可能不知道他的底細。」

曾國藩離京近十年，京中人物也生疏了，他不懂胡林翼說的誰。

「官秀峯有次多喝了點酒，一時興起，跟我說起了一個人。此人爲今上的生母。」

「你是說懿貴妃？」曾國藩離京時，懿貴妃葉赫拉那氏尚只是一個名位不高的貴人，莫說外臣，就是宮中也不把她作個人物看待。但後來居然就是這固小名叫蘭兒的貴人，大受咸豐帝寵愛，給皇上生了個獨生子。母以子貴，不久便晋封爲懿妃，後又升爲懿貴妃。現在她的兒子繼了大統，無疑她就是太后了。對於這個昔日唯一皇子、今日眞龍天子的生母，曾國藩所知也僅僅只有這些。

「宮中的事，我們這些作外官的哪裏知道，但官秀峯卻淸楚得很。」胡林翼說。

「他當然知道，他是滿人，宮中耳目甚多」。曾國藩極有興致地問，「官中堂說了些什麼？」

「他說這個女人非比等閑，不要說大淸朝沒有這樣的后妃，前朝前代也少有人可與她相比。」

「啊——」曾國藩吃了一驚。

「官秀峯說，此人國色天香，自不必說，更兼絕頂機警，這都罷了，此人還有一個嗜好，便是貪權！」

「貪權？」一個女人也貪權，曾國藩頗感意外。

「滌生，這一年來由熱河發回的奏摺上的朱批，你說是誰批的？」

胡林翼的問話使曾國藩好生奇怪：「朱批還有誰假冒？」

「也不是假冒，是大行皇帝委托懿貴妃批的。」

「有這事？這種事可不能信口胡說。」

「我當時也這樣責問官秀峯。你猜他怎樣？他放下筷子，哈哈大笑說：『你看你這人，大驚小怪的，這在京師已不算秘密了。』」曾國藩想，朝中出了這樣的太后不是好事，嘴上卻說：「有這樣了不起的太后，新主雖在衝齡，也大可放心了。」

「就因這樣，不能放心。」胡林翼冒出一句怪話。

「爲何？」

「倘若太后與肅順一條心，那就可以放心，但現在恰恰是太后與肅順面和心不和，兩個都要攬權，都要自作主張，而皇上嫡母又是個懦弱無能的人，今後有戲看了。」

「哦，是這樣！」曾國藩站起來，甩了兩下手，在屋子裏來回踱步。外患內亂，主少國疑，廟堂不和，時局維艱，他已預感到，或在熱河，或在京師，很可能不久將有大事發生！

「滌生。」過了一會，胡林翼又神色凝重地說，「還有一樁事，也令我憂慮不安。」

「潤芝，你都敞開說吧。你剛才說的這些，使我大有收益。」曾國藩重新坐到胡林翼的對面，說，「我這幾年在外帶兵，與京官接觸甚少，筠仙、荇農、壬秋他們也不常來信，對朝廷中的事懵懂得很。」

「大行皇帝臨終前指派了八個顧命大臣贊襄政務，卻隻字不提在京師辦理夷務的的恭親王。大行皇帝這樣冷淡才德兼備、廣孚衆望的親弟，只怕會因此種下麻煩。」

「是啊，恭王，怎麼能忽視恭王呢？」曾國藩十分欽佩胡林翼的精明，「哎，看來大行皇帝與恭王的疙瘩是至死未解呀！」

咸豐帝奕詝與其弟恭親王奕訢有何前嫌呢？

原來，奕詝十歲時，生母孝全太后便去世了，從此便由奕訢生母孝靜太后撫養。孝靜對奕詝疼愛關懷，視同己出，又加之奕訢只比奕詝小一歲，兩兄弟天天在一起讀書玩耍，親如同胞。奕詝即位後，對奕訢也另眼相看，關係遠比五弟、七弟、八弟、九弟密切。

咸豐五年，孝靜太后病重，奕詝天天看望，親伺湯葯。有一天，奕詝又去看望，太后正臉對著牆躺在床上，知有人來到床邊以爲是奕訢，說：「你又來做什麼，我所有的東西都給了你。他性情不易知，不要引起他的懷疑。」說著轉過臉來，見不是奕訢而是奕詝，面露難堪。奕詝口裏唯唯，心裏卻不是滋味。孝靜死後，奕詝諡她爲「孝靜康慈弼天輔聖皇后」，不繫宣宗諡，不祔廟，有意減殺喪儀。安葬孝靜太后的第二天，便以辦理皇太后喪儀疏略爲名，罷去奕訢軍機領班之職，命回上書房讀書。兄弟不睦開始公開。

後來，奕詝在熱河行宮期間，又多次聽人說奕訢和夷有方，外人多信服，京中有擁奕訢爲帝的說法，故而對奕訢更加提防，連奕訢欲來行宮奏稟和議情況都予制止。然而奕訢器局宏闊，識見開明，久爲朝野所景仰，曾國藩更是特受他的賞識器重。

「今後說不定朝廷會出現太后、輔政大臣、恭王三足鼎立的局面，國家的事將更難辦了！」胡林翼說完端起茶杯。他今夜話說得太多，胸部已隱隱作痛，兩頰潮紅，輕輕地咳起來。他小口小口地吮茶，一隻手輕輕地在前胸撫摸。兩人都不作聲了。沉默一陣後，胡林翼說：「來安慶前一天，我接到左宗棠的信。信上說，他日前遊浮梁神鼎山，偶得一聯，特為寄來，要我看後交你一看，請你替他改一改。」說著從袖口裏抽出一個信套來。

曾國藩從信套裏取出一張疊得整齊的宣紙，宣紙上的聯語字跡鋒芒畢露，正是左宗棠的親筆。曾國藩輕聲念著：「神所依憑，將在德矣；鼎之輕重，似可問焉。」聯語字頭，恰好嵌著「神鼎」二字。曾國藩脫口稱讚：「好一副對仗工整的佳聯！」

胡林翼微笑著不作聲。

「神所依憑，將在德矣；鼎之輕重，似可問焉。」曾國藩又抑揚頓挫地念了一遍。忽然，兩只三角眼裏射出異樣的光彩，凝神望著胡林翼，覺得胡林翼平和而帶有病態的微笑裏，似乎蘊藏著無限的機巧詭譎，聯繫到剛才他所說的那些話，曾國藩對這副聯語的弦外之音已有所悟。但，這是可能的事嗎？左宗棠能有那種非分之想嗎？關於左宗棠的膽量，三湘士林中有一個傳說。

那一年，陶澍回湖南，在醴陵淥江書院見到左宗棠書寫的「春殿語從容」的楹聯後，特邀左來相見。左大大咧咧地來到陶澍身旁，作揖時，恰巧碰斷了陶澍胸前掛的朝珠線。一粒粒珠子立即掉下，撒滿一地。倘若是一般二十幾歲的平頭百姓闖下這等禍事，早已嚇得舉止失措，左宗棠卻無事般地彎下腰去，一邊拾珠子，一邊和陶澍說話，全不在意。陶澍亦爲他的膽量所吃驚。

就是這樣一個膽識超羣的人，被壓抑了二十多年，近幾年才略舒志量，現雖自帶楚軍，不過曾國藩知道，左之志向決不在一個方面的將軍。難道他想問鼎？曾國藩想到這裏，渾身不自覺地顫抖了一下。手中只有萬把人，就存這種想法，未免太狂妄不自量了。曾國藩下意識地搖了搖頭。他想試探我？曾國藩立刻想起衡州出兵前夕，王闓運那番「鹿死誰手，尚未可料，明公豈有意乎」的話。實在地說，國亂民危，已有人揭竿在先，況且帝位爲滿人所據，怎能禁止人們的逐鹿之想？湘勇創建之初，王闓運便有那番話，現在湘勇將士近十萬，威震天下，別人對自己有某些猜測也不奇怪。左宗棠雖說睥睨一切，可也不是莽闖粗疏之人，他怎麼也會這樣來試探我？

「潤芝，季高這副題神鼎山的聯語好是好，不過也有不當之處，暫且放在我這兒，容我考慮一下，我幫他改一改。」

「行！」胡林翼又從袖口裏掏出一個信封來，「這裏還有一副聯語，是我送給老九的禮品。」

曾國藩正要打開，胡林翼用手按住：「暫勿拆，我先向你核實一件事。」

「什麼事？你說吧！」

「我在來安慶的路上，聽人說老九使了個計策，將投降的長毛一百人一批，分成一百批，輪流叫他們進屋領路費。進屋後，便由刀斧手捆綁。從後門押出砍了頭，整整砍了一日一夜，殺了一萬人，有這事嗎？」

「是有這事。這是李臣典出的主意，事後老九有點後悔，至今心裏還有些不暢快。」

「好了，你可以拆了。」胡林翼笑著說，「我這副對聯就是醫他這塊心病的葯方。」

曾國藩扯開信封，對聯只有十個字：「用霹靂手段，顯菩薩心腸。」他立時笑從中來，大聲說：「潤芝，妙極了，有你這付葯方，老九的心病即刻就會好。」

第二天，鮑超派人來請示，軍營如何爲大行皇帝舉辦祭奠儀式。曾國藩由此想起，湘軍中的將領絕大部分都是這幾年驟升的大官，不懂得國家定制，於是吩咐幕僚立即以他的名義代擬一個通令，發給大江南北各處帶兵的將領，告訴他們：軍營規矩和地方不同，大喪期間，軍營弁勇不縞素，不蓄發，各守本職，照舊辦事，往來文書亦不用藍印，僅統兵大員在營外摘纓素服三日而已。各營各哨必須切切遵行，不可因大喪而誤戰事。

軍事政事太多了，且加之又遇大變，胡林翼不能在安慶久住。兩天後，曾國藩親自送他到南門外碼頭。時間還早，二人併肩來到江邊望夫岩上，眺望長江風光。曾國藩輕輕地說：「潤芝，左季高的題神鼎山，我給他改了一個字，他可以放心大膽寫出去，不至於招來閒言碎語了。」說罷，將前天那個信套送還給胡林翼。胡林翼抽出來看時，曾國藩在「似」字旁邊點了一點，再添了一個「不」字，變成了「神所依憑，將在德矣；鼎之輕重，不可問焉。」

胡林翼看畢，放聲大笑起來：「滌生，你眞不愧爲鏡海先生的賢弟子，這一字之改，將左季高從九天雲霄上推倒下來，掉到東海洪波裏去了！」

「正要他在大海裏洗洗澡，清醒清醒才好！」曾國藩也輕鬆地笑起來。

一陣江風吹過，胡林翼很覺舒暢。他縱目向東望去，只見江面上一隻大木船正鼓滿風帆，緩慢地向上游行來，船頭船尾有七、八個大漢在合力搖槳，不時傳出有節奏的號子聲，一羣江鷗追逐著船邊起伏的浪花，時而俯身緊貼水面，時而驚起高飛，歡快矯健，意趣盎然。這幅風景鑲嵌在藍天白雲之下、浩浩長江之上，極富詩情畫意。

胡林翼感嘆地說：「難怪東坡說『江山如畫』，平時沒有閒情，還眞領會不出這句詞的妙處哩！滌生，我作鄂撫，你作江督，我居江之腰，君居江之尾，我們齊心合力，掃淨賊氛，使萬里長江永遠靜謐如畫！」

「潤芝，你說得好，但願早日海晏河清，國泰民安！」

二人正說得投合，忽然，一聲響亮的汽笛傳來，一艘掛著英國國旗的輪船乘風破浪，箭一般地從下游駛來，轉眼之間，便將那條木船遠遠地拋在身後。胡林翼瞪大雙眼，不覺看得呆了。猛然，他哇地大叫一聲，一口鮮血噴出，眼前一黑，從望夫岩上栽倒下來……

三　東南半壁無主，滌丈豈有意乎

這下把曾國藩嚇慌了，連叫幾聲「潤芝」，胡林翼沒有睜開眼。親兵趕忙把他抬到船上，曾國藩打發王荊七飛馬去接醫生。

正忙亂之中，從下游駛來一隻大船，水師內湖統領彭玉麟由池州府趕來安慶。見此情景，忙來到胡林翼船上，與曾國藩見過面後，便守在胡林翼的身邊。過一會，醫生來了，忙了半個時辰之久，胡林翼醒過來了。他睜開失神的眼睛，望著站在眼前的曾國藩、彭玉麟，略微動了動嘴唇。彭玉麟想起梅小姑臨終前的樣子，也是這般憔悴乾瘦，心裏一陣難受。

「潤芝，剛才還說得好好的，爲何突然變得這樣？」

「哎！」胡林翼服下兩粒救急葯，神色好了一點，「滌生、雪琴，我自知不久人世了，有一言要留給二位。」

曾國藩握著胡林翼冰涼的手，說：「潤芝，這是什麼話，你不過五十歲，報國的日子還長著哩！」

彭玉麟也說：「你素來身體強壯，這點小病，不要掛懷。」

胡林翼搖搖頭說：「我自己清楚，我就要跟著大行皇帝去了。」說著，不禁淒然一笑。「長毛之亂，總在這兩年可以平定，我不掛牽，我所擔心的是，壞我大淸江山的不是內賊而是洋人。滌生兄，你看剛才江上那艘鐵艦，一副耀武揚威的樣子，我十條百條木船都不是他的對手呀！」

胡林翼說到這裏，一口痰湧上來，兩眼緊閉，氣接不上了。好一陣才又甦醒，拉著彭玉麟的手，氣息低沉地說：「魏默深說過，『師夷之長技以制夷』，這是眞正的愛國志士的話，可惜這些年來沒有誰去認眞辦。雪琴，我湘勇水師今後若要對付洋人，必須要有洋人那樣的堅船利炮啊！」

彭玉麟雙手握著胡林翼的手，用力地點了點頭。曾國藩終於明白了胡林翼剛才昏厥的原因，十分感動。心想，十八省督撫都能有潤芝這樣的愛國之心和遠見，中國何至於有長毛之亂，何至於有大行皇帝蒙塵熱河，何至於有六歲孩童為天子的局面出現！偏偏這樣的忠貞卓越之士，又不得永年！

待胡林翼稍微平息下來，曾國藩要親兵抬胡林翼下船進城休息。胡林翼搖手說：「我身為鄂撫，當此國喪期間，哪有心思在安慶養病！船上平穩，不會出事，讓我早點回武昌去吧！」

曾國藩情知留不住，便命令醫生跟船到武昌，一路好好照料，又要船盡量划得慢些穩些，這才依依不捨地和胡林翼告別。

曾國藩默默地站在碼頭上，直到船消失在煙波中，才轉過臉來與彭玉麟寒暄。這時，他才發現彭玉麟渾身素服。

「剛才見胡帥這般樣子，只怕眞的如他自己所說的，不久人世了。倘若胡帥跟隨大行皇帝而去，事情就更難辦了。」

曾國藩默默點頭，沒有接腔。彭玉麟立時覺悟此地不是說話之處，便不再開口。

彭玉麟進了剛才胡林翼坐的轎子，隨曾國藩進了城。來到督撫衙門，曾國藩帶著彭玉麟進靈堂，行過了哭臨儀式後，再與曾國荃、曾貞乾等人一一相見。飯後，彭玉麟一人進了曾國藩的臥室。在池州府聽到咸豐帝去世的消息後，幾天來彭玉麟想了很多很多，他準備慢慢地跟曾國藩談談，而曾國藩也有一件大事要徵求彭玉麟的意見。

彭玉麟情感專注、持身謹嚴的品格，深得曾國藩的賞識，他們之間的關係不比一般。

「滌丈，夜裏渾身癢得睡不著覺，如何過得？難道就沒有葯可治嗎？」當曾國藩說起近來癬疾又發作了，常常癢得通宵不眠時，彭玉麟關切地問。

「此病已害了我三十多年，葯渣都可堆滿一屋了，總是好一陣壞一陣，不能斷根，我也失去信心，再不吃葯了。」曾國藩苦笑著說。

「滌丈，假使夜間有一個人替你搔癢，你會睡得安穩點嗎？」彭玉麟忽然想起什麼。

「從前在京師，紀澤娘就常常替我搔癢。有人搔，當然會睡得好些。」

「滌丈！」彭玉麟欲說又止，停了一下，還是說了出來，「我給你老買一個妾來，專替你老搔癢、洗衣、做飯。」

「買妾也難啊！」曾國藩搖搖頭。但彭玉麟已覺意外：只是說難，並沒有一口拒絕呀！

近年來，歐陽夫人幾次在信中提到此事，說自己不能在身邊服侍，不如買一個妾來，女人家究竟比粗手大腳的荊七要好得多。曾國藩婉謝了夫人的好意。

他並不是一個六根清淨得完全不思女人的苦行僧。年輕時，他也曾對歌樓舞女有過濃厚的興趣。湘鄉縣城掛頭塊牌的粉頭大姑死的時候，曾國藩還為她送了一副風流輓聯：「大抵浮生若夢，姑從此處銷魂。」進京後，他想到自己貴為天子門生，言行要多加檢點，後拜唐鑒為師，做了理學先生的門徒，更加規規矩矩，謹言愼行，自覺地將歌舞聲色屛棄於千里之外了。帶勇之後，他立志要事事身先士卒。兵勇久離妻室，又手握刀槍，故歷朝歷代，軍紀再嚴的部隊都不可能杜絕奸淫。曾國藩決心把湘勇練成一支軍容整肅的曾家軍，先從自己做起，不近女色。歐陽夫人勸他，不少分統、營官自己想帶女人，也慫恿他買妾蓄婢，曾國藩一概予以拒絕。

這半年來，他覺得自己更為衰老了，衰老最明顯的標誌是目力更加減弱，讀書寫字不戴眼鏡就不行，右目時常發痛，他眞擔心這隻眼睛不久會痛瞎掉。精力不濟，中午非得小睡片刻不可；到了傍晚，又得閉目在床上躺半個時辰，夜晚才能治事。尤其在癬疾發作時，整夜睡不好，白天提不起精神來，倒不如眞的去買一個妾來！但買一個好妾也不容易。

「不難！」彭玉麟見曾國藩鬆了口，很是高興，「滌丈，你要個什麼樣的妾，我去給你買來。」

「我這樣一個滿身癬疾的衰老頭，哪個年輕女子願意和我在一起。」曾國藩笑著說。

「什麼衰老頭，滌丈是當今第一號偉丈夫。哪個女子能被滌丈看中，眞是她的福氣。你老說說條件看。」

「條件嘛！」曾國藩興奮起來，血湧湧的，頗有點「老夫聊發少年狂」的味道，「模樣兒只要周正就行了，千萬不要太漂亮的，性情則一定要溫順平和，最好還得識幾個字，能幫我淸點淸點文牘。」

「好，我去細細訪求。你老說有要事跟我談，何事？」

「雪琴。」曾國藩望著彭玉麟，深情地說，「自咸豐三年你辭別老母，屈從我創辦水師以來，和厚庵一起，把水師辦得有聲有色，功勛卓著，不是我當面誇獎你，我朝二百年來，還沒有這樣的水師，也沒有你和厚庵這樣的水師統領。」

「滌丈言重了，水師即算是有成績，也是你老之功，玉麟不過是你老帳下一名供驅使的校尉罷了。」

「你是大才，不能老爲鄙人所屈。自翁同書革職以來，皖省巡撫之位空缺已久，現省城已下，宜早定主人，我擬向朝廷推荐你爲皖撫，想你不會推辭。」

「玉麟深謝滌丈的器重，但皖撫一職，則萬萬不能接受。」彭玉麟的態度似無可商量的餘地，使曾國藩深爲奇怪。

「雪琴，這又爲什麼？厚庵和你一起辦水師，早已當了提督，連鄧翼升都已升了副將，你至今只是個三品臬司，我心裏爲你過意不去。」

「滌丈，玉麟不是熱中祿利之徒，這點想必滌丈也知。」

「正因爲你不慕祿利，我才荐你；倘若是熱衷鑽營之徒，我就不得荐你了。」

「生我者父母，知我者滌丈。滌丈知遇之恩，今生今世粉身碎骨難以報答。」彭玉麟激動而懇切地說：「我雖諸生出身，其實並無經緯之才，近十年來在江湖波濤中出沒，更把學業荒疏，把脾氣弄壞，把性情弄庸懶了。我只能短衣芒鞋在船上奔波，耐不了大堂高座、簿書應酬的生涯。先前接受廣東按察使，是看在只掛個名，現在要爲皖撫，則不能掛名了。還有，」說到這裏，彭玉麟稍稍猶豫了一下，「這個世道太令我失望了，你老有依靠一、二人作榜樣，移風易俗、陶鑄世人的宏願，我沒有這個想法。」

「你近來有什麼不愉快的事嗎？」曾國藩聽出彭玉麟話中有話。

「滌丈，你佬聽說了嗎？何桂清就要無罪釋放了。」

「有這事？」曾國藩驚愕起來。

「大學士祁雋藻、彭蘊章聯絡十七名一、二品京官向皇上上書，說人才難得，請求寬免其罪，讓他戴罪立功。」

「豈有此理！」曾國藩憤怒地站起來。

「祁、彭兩個老頭子還向皇上密奏，說讓何桂清帶二萬綠營去圍江寧，不能讓湘勇得了攻下賊巢的首功，否則，湘勇將不可駕馭。」

「祁雋藻爲何總是這樣仇視我們湘勇呢？我跟他實在沒有個人恩怨呀！」曾國藩想起祁雋藻數次在皇上面前進讒言的往事，心中又恨又怕。

「我們湘勇如此忠心耿耿地爲皇上而與長毛血戰，卻要受到別人的猜疑；何桂清丟城失地，臨陣逃命，反而被稱爲人才難得，且這些話出於所謂天下大老的兩個大學士之口，儘管大行皇帝可能沒有採納他們的建議，但已足使志士灰心了。」彭玉麟兩隻手來回搓著，似乎要借此發洩胸中的積鬱，「滌丈，這樣賢愚不分、忠奸不辨的人把持朝政，我還去當什麼巡撫？我感大人的知遇之恩，盡忠竭力統率水師，協助大人攻下江寧。一旦江寧打下後，我就回我的渣江去，不管什麼官職我都不接受。」

「雪琴，祁中堂、彭中堂雖然糊塗，但朝政並不完全掌握在他們手中，且眼下大行皇帝遠行，新主施政，自有一番除舊佈新。」

「新主只有六歲，他曉得什麼！」彭玉麟冷笑一聲，壓低聲音說：「滌丈，湘勇水陸軍威大振，今又攻克安慶，全國軍民莫不仰服。大丈夫當意氣縱橫，不可仰他人鼻息，今東南半壁無主，滌丈豈有意乎？」不待曾國藩回答，彭玉麟又說：「倘若滌丈有此心意，玉麟和全體水師願效犬馬之勞，雖赴湯蹈火，亦心甘情願！」

如果說胡林翼、左宗棠尚只是試探的話，彭玉麟則是明目張膽地煽動。這種赤裸裸地犯上作亂的話，若不是骨肉之親、生死之交，誰敢說出口？彭玉麟是把自己的一顆心剖了出來，捧給你啊！曾國藩本想親切熱烈地擁抱彭玉麟，但理智使他清醒。他只是用深沉的目光緊緊地盯著這位肝膽之友，而無表情、平平淡淡地說：「雪琴，你不要拿這種話來試探我！安徽巡撫一職，我明日就拜摺推荐，請你不要再推辭！」

四　王闓運縱談謀國大計，曾國藩以茶代墨，連書「狂妄，狂妄，狂妄」

胡林翼回到武昌後幾天便去世了。噩耗傳來，曾國藩哀傷不已，哭道：「潤芝赤心以憂國家，小心以事友生，苦心以護諸將，天下再難找這樣的好人了。」又親撰一輓聯：「逋寇在吳中，是先帝與藎臣臨終恨事；荐賢滿天下，願後人補我公未竟勛名。」派貞乾代表他帶著輓聯和奠金到武昌祭吊。

這時，駱秉章奉調督辦四川軍務。曾國藩去信，向他推荐劉蓉佐幕，並詳告劉蓉之才可勝封疆大任。又與官文合議，荐李續宜爲鄂撫、毛鴻賓爲湘撫。

這時楊載福由湖口來安慶哭臨，並與曾國藩道及「載福」二字犯了今上「載淳」的諱，擬改名岳斌。又說鄧翼升本姓黃，幼年喪父，隨母改適鄧氏，遂從鄧姓，現已升至副將，例應復姓歸宗，請代向朝廷奏明。

曾國藩滿口答應：「改名岳斌，是對皇上的尊崇；復姓歸宗，是對祖宗的孝敬。這都是大好事。尤其是鄧翼升的情況，湘勇中可能不少，要借此廣爲宣傳，鼓勵大家都來積功受賞，像他那樣，由皇上親頒復姓歸宗，這樣的孝子賢孫幾多榮耀，幾多風光！」

不久，從熱河行宮陸續寄來上諭，嘉獎攻克安慶有功人員：曾國藩賞加太子少保銜；曾國荃加布政使銜，賞穿黃馬褂；曾貞乾免選本班，以同知直隸州盡先選用，並賞戴花翎；又諭曾國華爲愍烈，以彰其爲國捐軀的忠烈。曾國藩接旨又喜又懼，急速發密信至廬山，囑六弟千萬千萬不能下山。曾國藩注意到上諭一改過去成例，直呼湘勇爲湘軍，這點尤使他欣喜。他想起過去在這件事上對王鑫的指責，對左宗棠的規勸，覺得自己的謹慎穩重還是對的。今後可以堂而皇之地叫湘軍，而不擔心遭人譏責了！

三省巡撫的實授也下來了：皖撫彭玉麟、鄂撫李續宜、湘撫毛鴻賓，一概照曾國藩所荐允准。李、毛歡歡喜喜地上任了，唯獨彭玉麟堅辭不受。朝廷拿他沒辦法，只得改授兵部右侍郎，調李續宜爲皖撫，嚴樹森爲鄂撫。

接著又運來一箱新主頒賞的大行皇帝的遺念衣物。曾國藩焚香頂禮，對著北邊跪拜後，命人將箱子打開。箱子包得很嚴實。外面一層牛皮，牛皮拆開後，又是一層毛氈，毛氈拆開後，遺念衣物出來了：冠一頂，以上紅絲結頂；青狐膁袍一件；西洋精錶一只，玉搬指一件，上刻「嘉慶御用」四字；淡黃東珠念珠一串；大小橘黃壽山印章石十枚。均註明係大行皇帝生前喜愛之物。曾國藩捧著這些遺念衣物，又大哭了一場。這是第二次得遺念物了。十二年前道光帝去世時，曾國藩以正二品侍郎身分領得一件春綢大衫。後來才知是件假的，眞的早讓太監拿走，高價出賣了。這次遠在安慶，卻得到如此多、如此貴重的眞品，怎不令他感激涕零呢？對他家兄弟四人的嘉獎，三省巡撫完全照他的推荐任命以及這箱遺念衣物的頒賞，這三件事使曾國藩深深感到，咸豐帝雖已大行，新主對自己依然眷顧甚隆，堅決地、毫不猶豫地拒絕胡、左、彭的試探，是非常正確的。皇家的天高地厚之恩，永遠不應該忘記！

「大人，王壬秋先生前來拜見。」荊七進來稟報。

「他怎麼到這裏來了？」曾國藩正想著時，王闓運已經進來了。

「幸會，幸會！」一別七年，王闓運顯得比過去成熟老練多了，倜儻不羈的性格中更增添幾分軒昂的氣慨。這幾年，王闓運以「衣貂舉人」名揚京師。這裏有個故事。有次肅順上奏章，咸豐帝看後問：「這篇奏章是誰寫的？」肅順答：「家中西席湖南舉人王闓運。」咸豐帝又問：「此人爲何不出仕？」肅順答：「此人非貂不仕。」

咸豐帝說：「可以衣貂。」當時規矩，二品以上的大員和翰林才可以穿貂皮衣。翰林品級雖不高，因爲是天子門生，故也可以享受這種待遇。從那以後，別人就稱王闓運爲「衣貂舉人」。

「湘軍攻克安慶，闓運特來向宮保和九帥賀喜。」王闓運仍像當年那樣，恭敬而又大方地笑著說。

「安慶雖光復，皇上卻龍馭上賓，這種時候，說什麼賀喜一類的話。」曾國藩和王闓運對面而坐，將他仔細地看了一陣。「聽說你一直在肅中堂家當西席，爲何有空到安慶來？」

「我離開肅中堂家有半年了，就一直在山東作客。」王闓運端起茶杯，喝了一口，忽然正色道：「大人，國家大亂在旦夕，闓運想求大人賜一良策以避風險。」

「壬秋此話從何說來？」曾國藩驚問。

「大人，不是晚生危言聳聽，朝廷早晚必有大動亂。」王闓運平平和和地說：「大人，有人上摺，叫兩宮皇太后垂帘聽政，你知道嗎？」

曾國藩搖了搖頭。

「龍皞臣現尚在肅中堂家，離濟寧前，我收到他的信，信上說起此事。」王闓運拿出一封信來，雙手遞給曾國藩。龍皞臣信裏提到御史董元醇上疏，建議皇太后垂帘聽政；還得到恭王赴熱河行宮吊喪，並說九月底大行皇帝梓宮回京等事。看來，局勢的確越來越複雜。曾國藩沉默了好長一陣子，才慢慢吞吞地吐出一句話：「我朝無太后臨朝的先例。」

「正是大人所說的，不能行垂帘聽政。」王闓運一副正氣凜然的姿態，「縱觀史冊，凡女主臨朝，國必大亂，晚生所憂正在此。」

在這點上，曾國藩與王闓運所見相同，但他不能像王闓運一樣，如此毫無顧忌地直言。須知議論的不是前朝往事，而是當今太后，稍一不慎，就可能招致奇禍。他思索良久才說：「肅中堂才幹，世上少有，有他和其他七位王公大臣輔佐，哪裏還要太后操心。」

「大行皇帝臨終前授了兩顆印信給兩位太后，一顆印曰御賞，送給了東太后，一顆印曰同道堂，送給了西太后。大行皇帝說，今後上諭必須經兩位太后審閱，前蓋御賞，後蓋同道堂，方可發出。」

王闓運這幾句話，解開了曾國藩心中的大疙瘩。這些日子發來的上諭，上面都蓋有這兩個印章，他一直不解這是何故。他暗暗地想：大行皇帝此事辦得欠思量，倘若顧命大臣擬的旨與太后意見相左如何辦呢？不料，王闓運把他心中的顧慮挑明了：「大人，假使肅中堂辦的事與太后完全一致，那就好辦，或者太后不管事，只履行鈐印手續也好辦，但偏偏西邊的太后也有才幹，好師心自用，今後有戲看了。」

曾國藩的心開始緊張起來，自古天無二日，民無二主，大事必得聖心獨裁才是。太后、顧命大臣共同處理政事，的確會增加許多麻煩。皇上一貫英明，爲何這事又不英明呢？

「大人，我想總有一天，太后會借他六歲兒子之口，對肅中堂他們下毒手的。」王闓運漫不經心地說。曾國藩的手卻突然像被馬蜂刺了一下似地抖起來。

「沒有這樣的事，不要亂說。」話雖嚴厲，但語氣緩和，臉上亦無慍色。

「大人，肅中堂力矯弊政，重用漢人，尤其重用大人和湘軍，是我大清興盛的棟樑。但肅中堂也有致命的弱點，他權慾太重，心胸狹窄，我看他早晚要出事。」

曾國藩不願意看到肅順垮台，這對他、對湘軍都是不利的。他微笑著對王闓運說：「肅中堂於你有知遇之恩，你應該指點他一下，在這個關鍵的時刻幫他的忙。」

「肅中堂這個弱點我說過多次，但沒有引起他的重視。這次我特地從齊寧日夜兼程趕到安慶，就是想請大人為國家，為肅中堂，也為湘軍辦一件事。」王闓運懇切地說。

「我為他辦什麼事？」曾國藩意識到此事非比一般。

「大人。」王闓運正了正身子，以素日少見的嚴肅態度端坐在椅子上，托出他一番深思熟慮的計劃來，「當今天下形勢，處在一觸即發之時。肅中堂等輔政八大臣，如同臥危樓，游浪尖，隨時都有滅頂之災。以晚生看來，肅中堂一旦下台，則中國局面將無人可收拾。那時，發捻亂於內，夷人侵於外，我大清二百年江山岌岌可危。大行皇帝辭世以來，朝廷嘉獎之隆，賞賜之厚，宮保為第一人。可見無論是兩宮皇太后，還是輔政八大臣，在對宮保的依偎上是一致的。故晚生環顧朝野，今日能救我大清者，唯有宮保一人而已。現在皇太后不甘於覽奏鈐印之虛位，要垂帘干預國事。御史明奏，大后機心，依晚生之見，均不足以制服肅中堂等。一則祖制重於泰山，二則肅中堂乃大行皇帝託孤大臣，上諭煌煌，闔朝共知。但皇太后會走出一步棋來，這步棋爲大行皇帝之失誤，而肅中堂又失察，那便是與京師恭王聯絡，叔嫂合謀，政變於宮闈。」

曾國藩神情悚然起來，他暗自佩服王闓運對局勢看得深透，分析得精闢。

「本來，」王闓運換成了平緩的口氣，條理井然地說下去，「大行皇帝應該牢記周公輔成王的古訓，效法本朝多爾袞輔順治爺的先例，任命恭王爲攝政王，將幼子託付與他，再囑咐肅中堂盡心協助恭王。這樣盡管新主沖齡，政局會確保穩定。大行皇帝已去，自然不能再苛論，當今之計，只有宮保自請入覲，申明祖制，說明不能行兩宮垂簾聽政的道理，再與肅中堂一起謁見恭王，務請恭王以社稷爲重，泯滅前嫌，輔佐新主。這樣，上有賢明至親之攝政王，下有幹練威斷之肅中堂，外有手握重兵之曾宮保，大清朝廷即使遭遇暴風驟雨之襲擊、天崩地裂之災禍，也可上下同心，朝野協力，共度危難，穩如磐石。如此，大人對國家的貢獻，將遠勝攻取一城一地，千年青史，將永標大人忠貞爲國之赤心！」

王闓運越說越意氣昂揚，曾國藩則越聽越冷靜。眼前這個聰明異常的書生，爲肅順計，可謂遠謀深算，處心積慮，但他畢竟是個年輕的書生，閱世尚淺，以肅順之性情，他要執掌國家大權，豈會自請恭王當攝政王？說不定大行皇帝沒有要恭王攝政，正是出自肅順的主意！與肅順謀此事，無異與虎謀皮，自討苦吃。再說，肅順跋扈，積怨甚多，恭王願不願意與他共事，也很難講。若自請入覲申明祖制，肅順、恭王兩邊討不討得好尚不可預卜，先得罪了兩個皇太后，卻是肯定的事。以西太后之爲人，得罪了她豈有好處！現在是太后、顧命大臣、恭王三方在明爭暗鬥，三個方面不管誰勝，都必定要依靠自己，何必要介入這中間呢！在安慶靜觀時局變化，以不變應萬變，乃是目前的最佳態度。主意打定，曾國藩笑著說：「壬秋，你的想法很好，但我一個外臣，豈能干預朝政？再說前線軍事瞬息萬變，也不允許我離開。」

曾國藩的斷然拒絕，如同寒冬中一盆冷水劈頭澆到王闓運身上，立時蔫蔫搭搭的，半天說不出話來。但王闓運並不死心，定定神後，他又託出第二個計策：「大人，你還記得咸豐四年正月，在衡州出兵前夕，晚生對大人講的那番話嗎？」

怎麼可能不記得呢？當年王闓運那番說辭，使初帶兵的曾國藩爲之心跳血湧。現在，他已久歷沙場，連克名城，對胡、左、彭的暗示規勸，他處之泰然，王闓運那番話，至今想起來，也不過如此。曾國藩似有似無地點點頭。

「若大人覺得晚生剛才所說的不妥當的話，大人可在安慶首舉義旗，爲萬民作主。以大人今日之德望之實力，晚生可以擔保，不僅天下響應，四方影從，就連肅中堂也會心悅誠服地擁戴。」說到這裏，王闓運偸偸地看了一眼曾國藩，只見他安然坐在案桌邊，低著頭，若無其事地以手蘸茶水在桌面上劃著。王闓運暗思：這回可能動心了。他興致高漲：「肅中堂常說，滿人糊塗不通，不能爲國家出力，惟知要錢，國家遇有大疑難事，非重用漢人不可，尤其敬仰大人——」

「大人，摺差送來重要信件。」荊七進來，打斷了王闓運的話。

「好，我就來。」曾國藩起身，對王闓運說，「你來得正好。早幾天，安慶城裏一個姓曹的秀才，自稱是曹子建的後人，送了一頁子建的手書給我。你是行家，幫我鑒定一下，看是不是眞跡。」

待曾國藩出了門，王闓運走到案桌邊，只見曾國藩剛才以茶代墨寫的字尚未乾，仔細看時，竟是一長串「狂妄，狂妄，狂妄」！王闓運搖搖頭，嘴角邊泛出一絲苦笑，心頭湧出一股悲涼。

五　離國制期滿還差兩天，彭玉麟領來一個年輕女子

原來，摺差送來的是軍機處抄的廷寄，對苗沛霖攻占壽州一事咨詢曾國藩，剿，還是撫？

都是勝保壞了大事！看完廷寄後，曾國藩在心裏狠狠罵道。這幾年，苗沛霖在皖北招兵買馬，廣建圩寨，不臣之心充分暴露，但勝保欲挾以自重，一直庇護著他。上月，壽州邑紳孫家泰、徐立壯奏苗跋扈。苗大怒，發兵攻下壽州，挾制正在壽州城內的前皖撫翁同書。勝保向朝廷告急，他懼怕事情鬧大，不可收拾，請求安撫苗。

「對苗沛霖決不能安撫，必須趁此機會宣布他背叛朝廷的大逆之罪，徹底消滅，以除隱患。」曾國藩對趙烈文說，「惠甫，你就按這個意思擬一份奏稿。」

「假若朝廷接受大人的意思，派湘軍剿苗沛霖呢？」趙烈文一貫遇事想得深遠。

「湘軍不能分兵，要集中力量打金陵。苗沛霖今日之所以敢於與朝廷分庭抗禮，實是袁甲三、翁同書等人養癰貽患，理應由他們收拾亂局。你寫明：『請皇上責成勝保、翁同書討伐苗沛霖，收復壽州。』讓他們去混戰吧！」曾國藩心裏得意地笑著。

王闓運在安慶住了幾天，見曾國藩再不跟他提起國事，自覺沒趣，留下「我漸攜短劍，眞爲看山來」的詩句，帶著曾國藩送給他的程儀，回湘潭雲湖橋看他的老母妻兒去了。他剛離安慶，京師便傳來驚天動地的消息，兩宮皇太后聯合恭王，廢去了顧命八大臣，載垣、端華自盡，肅順棄市，恭親王任議政王，兩宮垂簾聽政，從明年起改國號爲同治。

曾國藩爲自己的謹慎穩重而暗自慶幸。王闓運則從此與官場告別，專心致志去做他的名山事業，刻意尋訪奇才，決心將自己滿腹帝王之學傳與弟子，留待後人。

緊接著，從京師頻頻寄來上諭：「欽差大臣兩江總督曾國藩統轄江蘇、安徽、山西三省並浙江會省軍務，所有四省巡撫提鎭以下各官悉歸節制。」、「曾國藩以兩江總督協辦大學士。」、「曾國藩節制四省，昨又簡授協辦大學士，其敷乃腹心，弼予郅治，朕實有厚望焉。」接到這一封封上諭，曾國藩受寵若驚。他自己尚不知道，之所以有一系列隆重聖眷，還有一個重要的原因。

肅順垮台後家被抄，從家裏抄出幾大捆書信。由於肅順炙手可熱的權勢和有意籠絡，各省督撫、帶兵的將軍都統，個個都與他書信往來密切，且信中極盡諂媚言辭，而唯一沒有在肅府留下字跡的只有曾國藩。這件事使兩宮皇太后和恭王大爲感嘆，故而引爲腹心。曾國藩有感於依俁太重，一再懇請辭去節制四省之職，朝廷則一再不允。他只得挑起這付重擔，日夜與文武僚屬商議歸復金陵大計。偏偏癬疾又一次大發，弄得他苦惱不堪。

這天午後，曾國藩强打精神批閱文書，忽然覺得眼前一亮，彭玉麟帶著一個年輕女子走進來。

「滌丈，你老看看這個妹子如何？」彭玉麟笑吟吟地指著低頭站在一旁的女子問。這以前，彭玉麟已帶來過三個女人，曾國藩都不滿意，或嫌其粗俗，或嫌其醜陋。這個女子一進來，便給他一種好感，身材勻稱，步履端莊，那副羞答答的樣子，既顯得安詳，又有幾分迷人。

「把頭抬起來。」曾國藩輕輕地命令。那女子把頭抬了一下，覺得對面的老頭眼光很陰冷，又趕緊低垂。曾國藩見她雖算不上美麗，卻也五官端正，尤其是眉眼之間那股平和之氣很令他滿意。「叫什麼名字？」

「小女子名叫陳春燕。」

嗓音清亮，曾國藩聽了很舒服，又問：「今年多大了？」

「二十二歲。」

「聽你的口音，像是湖北人？」

「小女子家住湖北咸寧。」陳春燕大大方方，口齒清楚，完全不像以前那幾個，要麼是嚇得手足失措，要麼是扭扭捏捏，半天答不出一句話。曾國藩心中歡喜。

「家中還有哪些人？」

「有母親、哥嫂和一個小妹妹。」

「父親呢？」曾國藩問。

「父親前幾年病死了。」陳春燕的語調中明顯地帶著悲傷。

「是個有孝心的女子。」曾國藩心裏想，又問：「你父親生前做什麼事？」

「是個窮困的讀書人，一生教蒙童糊口。」

聽說是讀書人的女兒，曾國藩更高興：「那你也認得字嗎？」

「小女子也略爲識得幾個字。」

「雪琴，謝謝你。」

「滌丈收下了！」彭玉麟如釋重負，歡喜地說：「明天我帶大家來向滌丈討喜酒喝。」

「慢點，慢點！」曾國藩叫住彭玉麟，問：「百日國制未滿吧？」

「今天剛好百日，你老就放心讓陳春燕侍候吧！」彭玉麟笑著邊說邊出了門。曾國藩伸出指頭點點招招，便將春燕留下來了。

夜晚，疲勞一天的曾國藩回到臥室，發覺房間大變了樣：屋子打掃得乾乾淨淨，桌上文書整理得整整齊齊，床上鋪墊擺得清清白白。

春燕提著一大桶熱水上來，輕柔地說：「請大人洗腳。」

「你怎麼知道我有這個習慣？」曾國藩吃驚地問。

「小女子問過彭大人，他說大人有睡覺前燙腳的習慣。彭大人還說，大人臨睡前要吃點甜軟的東西，如稀飯、雞蛋湯，平日喜歡吃魚，吃新鮮蔬菜，吃湘鄉土製的鹽姜、乾菜，飯後還喜歡散步。」

「你眞細心。」曾國藩拉著春燕的手，親熱地望著她。春燕感到，曾國藩眼中射出的是柔和溫馨的眼神，完全不像白天的冷峻陰森，人也顯得年輕些。

「春燕，我是個衰弱的老頭子，全身都長滿了蛇皮癬，你跟我睡覺怕嗎？」

「大人是人人敬慕的英雄，小女子能服侍大人，這是小女子的福氣。」

春燕的答話使曾國藩大爲高興，他覺得已消失多年的脈脈溫情又悄悄地生發了，一邊撫摸著春燕細膩的手心，一邊和藹地說：「春燕，你今日作了我的妾，便是我曾家的人了。我要把家裏的事情跟你說說。」

曾國藩將腳浸泡在熱水中，慢慢地對春燕說起了他的家庭，從高祖講到妻子：「歐陽氏是我的結髮妻子。在娘家時，父親凝祉先生給她取的名字叫秉鈺。十八歲時，從衡陽嫁到我家，那時我二十三歲。她是個命好福大的人。過門第二年，我便中了舉人。也就在這一年，她給我生了大兒子禎第。過了幾年，我又中進士點翰林。道光二十年，她帶著兒子來到京師。湖南到北京三千多里，兒子又小，一路辛苦顛簸，也多虧了她。」

曾國藩說到這裏，想起此時正在荷葉塘老家的歐陽夫人，突然對她產生一種又是感激又是負疚的心情。春燕也在思考著：想不到這個帶兵打仗的大人物，對妻子竟是這樣一往情深哩！

「夫人多次來信，要我在外面討個妾，說粗手粗腳的荊七，如何能代替得了心思細緻的女人！每次我都拒絕了她的好意。我明天要寫封信告訴她，說我接受了她的勸告，納了一個端莊溫和的小妾，請她放心。」

春燕感覺到，自己豐軟的手被曾國藩乾瘦的手抓得緊緊的。她的心在怦怦跳動。「端莊溫和」四個字，使她略有一絲幸福的感覺。

「你放心，夫人不會欺負你的。」曾國藩的聲調變得輕輕細細的、溫溫潤潤的，眼睛專注地望著春燕的臉，又抬起手來，撫摸她油黑發亮的頭髮。春燕臉紅了，心跳得更厲害。

過了好一會兒，曾國藩的手離開春燕的頭髮，重新以平靜的語調說：「禎第三歲時死了，得的是痘症，和他一起去的，還有我九歲的滿妹。現在的老大紀澤，其實是老二。紀澤今年二十三歲，比你大一歲。這孩子像他媽，溫淸有餘，剛强不足，不過也還誠實聰明，肯發奮讀書，今後雖然說不上有大出息，但也不會給曾家丟臉。這點我很放心。他先前娶了賀耦耕先生的滿女。耦耕先生，你知道是哪個嗎？」

春燕搖搖頭。

「是的。你是不會知道的。」曾國藩淡淡一笑，「耦耕先生病逝的時候，你才只幾歲人。他是我們湖南一個頂有名的大官，做過貴州巡撫、雲貴總督，學問也極好。他的兄弟蔗農先生也是進士出身，做過御史、知府，晚年在城南書院當山長，用心培育人材，左季高就很得過他的教益。賀家雖不如二十年前的鼎盛，但仍舊是長沙第一大家族。」

曾國藩不厭其煩地介紹賀家的情況，陳春燕不覺得他是在誇耀親家的顯貴，而是在她跨進曾家大門的第一天，就把作爲一個曾家人所應具備的知識告訴她。春燕對此很是感激。她的心不再急跳了。她半低著頭，眼睛望著水桶，聚精會神地聽著。

「賀妹子命苦，過門第二年就難產死了。接生婆說，肚子裏懷著的是個男嬰，可惜呀！紀澤念著她，一直不肯再娶。她娘不知勸過他多少遍，直到前年，才娶了劉孟蓉的二姑娘。孟蓉是我的多年來相交最深的朋友，他是個頂好的人。」

春燕用手探探泡腳的水。水有點涼了。他起身說：「丈人，水不熱了，我再去燒點來。」

「好吧，不要燒多了。」

一會兒，春燕提了半壺滾水過來，加在木桶裏，水溫升高了，曾國藩覺得很舒服。

「劉妹子過門三個年頭，生了兩胎，頭胎是男嬰，只活到半歲就夭折了。二胎是個女嬰，剛生出來就憋氣憋死了。紀澤夫婦很傷心，我寫信安慰他們：死生有命，不要太悲痛，年紀輕輕的，還怕今後沒有兒女？」

曾國藩微微地笑了，陳春燕也悄悄地笑了一下。猛然間，她想到了自己，她希望今後能多生幾個兒子；那樣，她才能在曾家有地位。

「紀澤下來，夫人一連生了五個女兒。大姑娘叫紀靜，嫁的是我翰林院的好友湘潭芳瑛的大兒子秉楨。秉楨人聰明，但好玩樂，看來今後難得成器。二姑娘紀耀嫁的是我的同年茶陵陳岱雲的兒子遠濟。遠濟這個孩子可憐。生下只有幾天，娘就死了，寄養在我家，一歲多才接回去。他自小失去親娘，沒有人嬌慣，所以還能吃苦，也懂得自愛。咸豐三年岱雲在池州府殉國，遠濟還只九歲多。夫人見他無父無母，很是憐愛，便常常接他到荷葉塘去住。今年上半年，遠濟虛歲剛交十八，夫人就急忙讓他與紀耀完了婚。三姑娘紀琛，許的是羅羅山的二兒子兆升，四姑娘紀純許的是郭筠仙的大兒子剛基，都還未過門。五姑娘不滿一歲就死了，得的是痢疾。接下來是二兒子紀鴻。這孩子長得肥頭大耳，虎虎有生氣，大家見了都喜愛。翰林院學士郭雨三硬要把他的三女許給紀鴻。他的女兒比紀鴻大三歲。夫人說，紀鴻學曾祖父、祖父的樣，娶個大一點的老婆，以後好照顧。我想也有道理，就訂了這門親事。所以，紀鴻一歲時就有了老婆。」

曾國藩開心地笑起來。春燕也覺得有趣，抿著嘴陪他笑。

「夫人最後一胎是個女孩，取名叫紀芬，今年虛歲十歲，還沒有許人。滿妹子長得厚厚敦敦的，是個有福有壽的相，今後要爲她尋一個好丈夫。」

曾國藩絮絮叨叨地講著。夜已很深了，他毫無倦意。春燕靜靜地聽著，一點一滴都默默地記在心中。她覺得眼前的這個半老頭子，並不是世間傳說的那樣威嚴可怕，他其實也是一個普普通通的男人，他對自己的家，對自己的老婆兒女有著深深的愛。作爲女人，春燕喜歡這樣的男人。

洗完了腳，曾國藩坐到桌子邊，開始寫日記。她將春燕今日入室行禮作爲一件大事，鄭重地寫上了日記簿。爲了確證今日正是百日國制期滿，他對著日記一天天地倒指頭。從七月十六日數起，數到今天——十月二十四日，不覺大吃一驚！無論怎樣滿打滿算，今天也只是第九十八天，離期滿還差兩天！

「怎麼這樣糊塗！」曾國藩暗暗地罵了一句。他想起這些日子來朝廷對自己的破格隆遇，心中有一股濃重的負罪感，「這如何對得起天地君父！」

「荊七！」他大聲呼喊。王荊七不知出了什麼事，從隔壁房子倉惶而至。「你把春燕帶到客房去睡！」

春燕一聽，嚇得渾身發抖，忙跪下哭道：「大人，小女子犯了罪，任大人打罵，只求大人不要將我趕出去。」

「我沒有趕你出去。」曾國藩苦笑道，「只因離百日國制期滿還差兩天，我不能留你在我的臥室中，待過了這兩天，我再讓你進來。」

「大人，何必這樣認眞呢？」荊七終於明白了原委，心裏眞覺得好笑。他嬉皮笑臉地勸道：「姨太太已經進了屋，你就讓她在這房裏陪你睡覺，瞞兩天不公開就是了，何苦要她去睡客房，一個人冷冷清清的。」

「胡說！」曾國藩瞪了荊七一眼，嚇得他忙說：「是，是。小人這就帶姨太太去。」荊七剛走兩步，曾國藩又叫住了他：「你安排好姨太太後，火速趕到江邊彭大人船上，就說是他把日期弄錯了，我已將陳春燕送至客房，二十七日下午，我在衙門招待各位便飯，正式宣布納春燕爲妾！」

第五章　幕府才盛

一《挺經》。「如夫人」與「同進士」。五百兩銀子洗冤案

有陳春燕的精心照料，曾國藩的飲食起居大有改觀，精神狀態好多了，癬疾也日漸好轉，每天夜裏也能安穩睡上兩個時辰了，中午再小睡片刻，一天到晚顯得神采煥發。曾國藩沒有料到，春燕對他有如此大的幫助，心裏充滿了對她的感激。時常給她點錢，要她寄回咸寧老家去，補貼老母和哥嫂。閒時也跟她講點前朝故事和身邊發生的瑣碎事，春燕很愛聽。過去只知道他是威風凜凜的湘軍統帥，殺人不眨眼的曾剃頭，與他相處久了，春燕逐漸看出曾國藩也有細膩體貼的一面，尤其是對小事細節的思慮周到，春燕自認她這個女人亦不及。她對曾國藩由敬生出不少愛來，她希望早點生個一男半女，既討得曾國藩的歡心，又可以使自己在這個顯赫家族中站住腳。

安慶城自古以來便是皖省第一大鎮，這裏水陸交通便利，物產富饒，人文發達。曾國藩最崇敬的文人姚鼐，就出生在離安慶不遠的桐城縣。桐城文派曾影響過全國，也對曾國藩影響甚深。近一、二十年來，桐城文派日趨衰微，曾國藩為此痛心。好了，現在有一個較安定的省城和一大片歸於自己治理的土地，兩江總督是有義務，也有力量對桐城文派起衰救疲的。為了向

文人學士們表達這個心願，他特地下令，爲因戰亂，死而未葬的桐城名士方東樹、戴鈞衡、蘇厚子等人舉行隆重的安葬儀式。下葬那天，他親率全體幕僚參加，並爲他們撰寫墓誌銘，盛讚他們的道德文章。這一舉動，使所有文人們感激涕零。不僅要挽救桐城文派，曾國藩還要挽救整個兩江的世風吏治，並以兩江作爲基地，造成一個好風氣，推廣到全國去，從而實現自己的最高理想，做一個像周公、孔子那樣的人，將整個國家治理爲一個風俗淳厚、人心端正、四海昇平、文明昌盛的社會。曾國藩知道這一理想的實現，光靠自己一人不行，要有成百上千志同道合的人一同去做，那樣才可以使舉世爲之和，天地爲之應，釀成一種氣氛，造成一種形勢。

爲此，他一方面向朝廷上奏，請選擇一批品學兼優的六部官吏和新科進士來安慶，他將視其才情，因量器使；另一方面廣貼告示，多發書信，向全國招延人才。聽說功高震世的兩江總督思賢如渴，愛才如命，短短的幾個月裏，從京師、從地方，甚至從偏僻的邊陲之地，懷著各種目的文人武夫紛紛來到安慶。武夫來了，曾國藩或當面考核，或叫將官測試後，立即派往軍營，能幹的馬上就可作什長、哨長，一般的則充當勇丁。文人來投的，曾國藩不管多忙，一律親自接見，與之交談。在察言觀色中掂量著來人的斤兩。這些人，大部分派往三省各州縣，對其中較爲傑出的人，則留在自己的身邊，經過一段時期的薰陶、栽培，再予以重用。即使是那些毫無一技之長，或不中意的人，曾國藩也好言勉勵，打發盤纏讓他們回去。

曾國藩又親自作勸誡語十六條。其中勸誡州縣四條，上而道府，下而佐雜以此類推：治署內以端本，明刑法以清訟，重農事以厚生，崇儉樸以養德。勸誡營官四條，上而將領，下而哨弁，以此類推：禁騷擾以安民，戒煙賭以儆惰，勤訓練以禦寇，尚廉儉以服衆。勸誡委員四條，向無額缺，現有職事之員皆歸此類：習勤勞以盡職，崇儉約以養廉，勤學問以廣才，戒驕惰以正俗。勸誡紳士四條，本省鄉紳，外省客遊之士皆歸此類：保愚懦以庇鄉，崇儉讓以奉公，禁大言以務實，擴才識以待用。每條下又詳作一百餘字的具體說明。曾國藩命人分別寫在四塊一丈高四尺寬的大木板上，插在總督衙門大門兩旁。一時引得安慶府裏的人都來觀看，齊聲稱道湖南來的總督爲官正派，辦事有方。派到各地的官吏委員，初時還有所畏憚，不敢放肆，時間一久，便近墨者黑，同流合汚了。只有留在身邊的幕僚，一來本有不少操守較好的人，二來處在曾國藩的嚴密監視之下，不能亂來。兩江總督幕府，一時人物茂盛，才俊衆多。

每天早晚兩次正餐，曾國藩常和幕僚們一起吃飯。席上，國事、兵事談得少，大多談學問文章、野史軼事，甚至街談巷議。這一天早上，兩江總督衙門餐廳裏，曾國藩又和幕僚們一起有說有笑地吃早飯。

「十年前，恩師只是一個以文名滿天下的侍郎，這十年間，恩師創建湘軍，迭復名城，門生不知，天下士人亦不知，恩師何以能建如此赫赫武功？」問話的是浙江德清才子俞樾。道光二十七年，俞樾參加會試複試，曾國藩是閱卷大臣。詩題爲「淡烟疏雨落花天」，俞樾的試帖，首句爲「花落春仍在」。曾國藩讀後激賞之，稱讚道：「詠落花而無衰颯意，與『將飛更作回風舞，已落猶成半面妝』相似，他日所至，未可限量。」遂將俞樾拔置第一。俞樾爲報答曾國藩的知遇之恩，將自己所作的詩文集命名爲《春在堂集》。曾國藩一到安慶，他便棄官前來投奔。

「是蔭甫在問吧！我告訴你，我有一個祕訣，今天傳授給你，你千萬莫輕授別人。」曾國藩微笑著，放下筷子，大家都笑了起來。俞樾說：「請恩師傳授，門生決不外洩。」

「外人都不知，我有一部兵書，是一位道行精深的仙師傳給我的。憑著它，我才能帶兵打仗，由文人行統帥事。」

幕僚們第一次聽曾國藩講仙師授兵書的事，都很驚訝，不少人腦子裏立即浮起鬼谷子傳書給蘇秦、圯上老人贈書給張良的傳說，還有人想起《水滸》裏九天玄女送書給宋江的故事，大家將信將疑，都聚精會神地聽下文。

「這部兵書名叫《挺經》。」曾國藩端起小湯碗，慢慢地喝。

「挺經？」幕僚中有人小聲地唸著。有的在交頭接耳，悄悄地議論。

「好奇怪的書名。」

「從沒聽人說過。」

「《挺經》有二十四條經文，我先給你們講第一條。」曾國藩放下小湯碗，右手作五指梳，緩緩地梳理著胸前的長鬚，慢悠悠地說，「荷葉塘有個老頭，一天，家裏來了貴客。老頭叫兒子到蔣市街買酒菜款待客人。兒子挑一擔空籮筐出去了，一直到太陽偏西還不見回來。老頭子急了，自己出門去找。在半路一丘水田田埂上遇到了兒子。」

曾國藩說到這裏停下來，又端小碗喝湯。大家尖起耳朵聽著，不知老頭的兒子買東西和「挺經」有什麼關係。「誰知兒子擔著一擔東西站在那裏，在他對面也站著一個挑擔子的人。兩人你望著我，我望著你，都不動。老頭一見急壞了，板起面孔罵兒子：『你這不成器的東西，家裏等你的酒菜，等得人都跳起來了。你卻死了一樣地站在這裏不動，你到底要做什麼？』兒子委屈地說：『他不讓我過去。』老頭對那人說：『兄弟，你下田放他過來吧！』那人怒道：『你好偏心！你為什麼不叫他下田，放我先過去呢？』老頭說：『兄弟，你人高，他人矮，你可以下田，他不能下田；再說你是雜貨，他是吃的東西，你的貨可以浸水，他的貨不能浸水。』那人越發氣了：

『你看不起我的貨！他小我大，他越要讓我，我不能讓他。』老頭也氣了：『罷，罷！只有我下田了。』老頭脫去鞋襪，站到水田裏，用手托過那人的擔子。這才把那人打發了，和兒子挑著擔子回來。這就是《挺經》中的第一條。」

曾國藩微笑著閉住嘴，大家聽後似懂非懂。俞樾說：「恩師，你老剛才講的只是《挺經》中的一條，還有二十三條呢？」

「今天只講這一條，以後再慢慢地講給你們聽。」曾國藩端坐著，不再說話了。大家繼續低頭吃飯，一邊嚼著飯菜，一邊也在咀嚼著這條經文的含義。二十二歲的桐城才子吳汝綸，先是抱著聽傳奇故事的心情來聽《挺經》的，現在覺得乏味，他一貫耐不得沉默，左右張望了一眼，指著旁邊的武昌古文家張裕釗對大家說：

「諸位發覺沒有，廉卿兄的頭髮都變青了。」

張裕釗雖只三十九歲，卻頭髮花白，他不滿意自己未老先衰，昨天特地染了。於是衆人的眼睛都轉向正在吃飯的張裕釗，弄得張裕釗很不好意思。

「陸展染鬢髮，欲以媚側室。」吳汝綸調皮地背了兩句南朝何長瑜的詩來譏笑他。

「我哪有什麼側室啊！」張裕釗大笑起來，望了一眼對面的李善蘭說，「我看壬叔兄比我大十多歲還滿頭烏髮，不染，對不起他呀！」

大家都笑了起來。笑過後，曾國藩說：「摯甫提到側室，我倒想起一件事。前幾天有人跟我說，『如夫人』失對。我想了幾天想不起，你們想想有什麼好的下句。」

「有！」曾國藩話音剛落，吳汝綸便急著嚷起來。

「快說呀！」大家催促。

「同進士！」吳汝綸衝口而出。

「對得妙！」有人喊。

曾國藩聽了，臉色一變。俞樾看在眼裏，暗暗罵道：「這個魯莽的吳摯甫，賣弄小聰明，這下闖大禍了。」他沉下臉，舉起筷子指著吳汝綸說：「你胡說些什麼！」

這時，吳汝綸才意識到失言了，滿臉通紅，侷促不安。

「摯甫，你幫我解了一個大難題。」曾國藩很快恢復了常態，臉上露出眞誠的笑容，「今後好好努力，桐城出了你這樣才思敏捷的後起之秀，桐城文派的振興大有希望。」

聽了這句話，吳汝綸和在座的全體幕僚無不感動不已。吳汝綸心想：今天假若是遇到黃祖那樣的人，說不定無意之間便把腦袋丟了！

「中堂大人，你老說起桐城文派，我記起前天接到吳南屛的信。」說話的是二十六歲的年輕人黎庶昌，貴州貢生，以上書論時事受朝廷重視，派來安慶軍營。曾國藩見黎庶昌氣宇不凡，古文尤其作得好，甚是喜愛，便留在幕府中。黎庶昌與吳南屛是文字之交的好友。

「南屛信裏說了些什麼？」曾國藩一向看重吳南屛的文才。吳南屛爲人疏懶，極少寫信，這次來信，必有要事。

「他說要與中堂打官司，先叫我露個信給你老。」黎庶昌的話把大家的注意力都吸引過來了，一齊停下筷子注意聽。

「他有什麼事要跟我打官司？」曾國藩不解。

「爲《歐陽生文集序》一文。」黎庶昌答。

前兩年，歐陽兆熊將其早逝的兒子歐陽勛的文章滙編起來，刻了個集子留作紀念。歐陽勛曾向曾國藩請教學問，於是歐陽兆熊便請老友作篇序言。那時曾國藩還在建昌，一口答應。

「這篇文章犯著他什麼了？」曾國藩覺得有趣，笑著問。

「吳南屛說，他對中堂未經他允許，就將他列入桐城文派在湖南的傳人大爲不滿。他說一則根本就不存在桐城文派，二則他素不喜歡姚鼐，中堂硬要把他劃爲姚鼐派，他很憤慨。還說什麼果以姚氏爲宗，桐城爲派，則中堂之心，殊未必然。」

「哈哈哈！」曾國藩大笑起來，他想起咸豐二年回湖南，在岳州城裏聽歐陽兆熊講「岳州四怪」的往事，眞是個「怪才吳舉人」！

「我說什麼事，就爲這個。蒓齋，你給他回一封信，就講曾某人說的，他吳舉人的大名列入桐城文派傳人一案已定讞了，他要跟我打官司，會無人受理。最好還是照我們荷葉塘有錢人的樣子，拿出五百兩銀子來賄賂我，我再寫篇文章，爲他洗刷這個寃案，私了算了！」

當黎庶昌還在作古正經地說：「南屏是個窮學生」的時候，滿廳幕僚早已捧腹笑開了。

「大人，有兩個士子要拜見。」荊七進來說。

「好！叫他們稍等一下，我換了衣服就來。」曾國藩起身，四面掃了一眼，客氣地說：「大家慢慢吃，我失陪了。」

二　今日欲爲中國謀最有益最重要的事情，當從何下手

過一會，曾國藩穿戴整齊，坐在小客廳藤椅上，趙烈文、楊國棟、彭壽頤等人分坐兩側。他拿起放在茶几上的兩張名刺，見一張上寫著：長洲王韜紫詮。「這是個名士呀！」曾國藩笑著

說。

「此人在上海墨海書館替洋人做了十多年的事。」趙烈文說。

「墨海書館？」楊國棟問，「那不是跟壬叔在一起共過事嗎？」

「是的。」彭壽頤回答，「李壬叔說起過他。」

「此人怎樣？」曾國藩問彭壽頤。

「據李壬叔說，此人聰明異常，中文洋文都很好，但生性放蕩，喜尋花問柳，是個唐伯虎、祝枝山式的人。」

曾國藩一聽這話，心中便有三分不喜。正說著，王韜走了進來。曾國藩見他長得矮胖臃腫，眉毛粗黑，兩隻魚泡眼鬆鬆垮垮的，沒有神采。「酒色之徒。」曾國藩心裏說。

「拜見中堂大人！」王韜在曾國藩面前叩頭。

「請起請起！」曾國藩起身回禮，指著旁邊一個座位說，「紫詮先生，請這裏坐。」

「聽說紫詮先生在墨海書館多年，翻譯了不少洋文書，這是椿好事呀！」待王韜坐定後，曾國藩先開腔。

「也是混口飯吃而已。」墨海書館是英國傳教士麥都思在上海創辦的一家印書鋪，當時讀書人都不屑於與洋人打交道，王韜說的是實話。但聽曾國藩一稱讚，又高興得很，便將墨海書館的情況，向曾國藩簡略地稟報了一番。

「他們用機器印書，一天印多少張？」曾國藩問王韜。

「一天可印七、八千張。」

「啊！這麼多！」趙烈文輕輕地叫了一聲。

「一架機器抵我們五、六十個人了。」曾國藩笑著說。

說了一陣墨海書館後，曾國藩問：「先生到鄙人這裏來，有何事見教？」

王韜望了趙、楊等人一眼，說：「在下有一要事跟中堂大人說，請摒退左右。」

「不必了，你講吧！」曾國藩淡淡地答覆。

「好吧，請恕在下直言。」王韜碰了一個軟釘子，心上飄過一絲不快，他將身子略向前傾，對曾國藩說：「大人今日擁重兵，居高位，其身雖榮耀，而其勢卻危殆。」

「你這是什麼意思？」曾國藩拉長著臉，兩眼冷氣逼人。

「中堂大人。」王韜似乎沒有看見曾國藩面孔的變化，繼續說下去，「大人精通典籍，熟讀史冊，當知蒯通勸韓信事，而今日事正與當年同。清廷、太平天國、湘軍好比當年的劉、項、韓。湘軍助清廷，則清廷强；助太平天國，則太平天國興。大人何苦要爲別人出力？不如既不爲清廷，亦不爲太平天國，讓他們兩虎相爭，最後由大人來收拾殘局，這是大人你的最好選擇。」

從王韜剛進門的那一刻起，曾國藩便對他的印象很不好。心想：他居然敢以素昧平生之身分，赤裸裸地勸我行非分之舉，他把我看成什麼人了？曾國藩壓住心中的厭惡，鐵青著臉說：「紫詮先生，你我素不相識，你不了解鄙人。鄙人是寧願遭到韓信那樣的下場，也不會背叛朝廷的！」

說著端起了茶杯，荊七見狀，高喊：「送客！」

王韜懷著一肚子希望而來，沒想到遇到這樣的冷遇，只得沮喪著起身告辭。走到門口，他對天長嘆一聲：「不料兩千年前的故事又要重演了！」

「大人，此人有一技之長，留下能起作用。比如我們今後要請洋匠傳授軍火技藝，他可以當翻譯。」楊國棟並不認爲王韜有什麼過錯，倒是覺得曾國藩的態度太冷淡了。

「此人雖不護細行，但究竟有點薄名，又懂洋文，本可留下他做點事。但他偏偏不安分，野心不小，思維怪誕，這種人留在我身邊，是一個大隱患。兩江總督幕府不能有這樣的僚屬。」曾國藩將端起的茶杯放下，他其實並沒有喝。

「大人，我看王韜非等閒之輩，大人既不用他，不如殺掉，免得他投靠長毛，爲虎作倀。」趙烈文諫道。

「惠甫，你把他看得太高了。」曾國藩冷笑道，「此人不過一無知妄人而已。我料他此生成不了什麼事，你們放心好了。」

他順手拿起茶几上的另一張名刺，對荊七說：「叫容閎進來。」

當容閎跨進門檻的時候，曾國藩便盯著他仔細打量起來：這是個三十三、四歲的中年人，中等偏低的身材，眉粗眼大，顴骨很高，嘴唇的稜角極爲分明，皮膚呈淡棕色。他與常人的最大區別，是腦後沒有辮子，一頭黑髮齊耳剪得短短的。「是一個武將的料子。」曾國藩心想。待那人走到身邊，曾國藩又以犀利的眼光將他認眞地看了一遍。

「你就是容純甫先生嗎？我這是第三次邀請，你才肯賞光來呀！」曾國藩不待容閎通報，便先說話了，臉上無一絲笑容。

「總督大人息怒，我是個商人，與長毛做過生意，怕大人加罪於我。」容閎一口廣東官話說得不熟練，他有意放慢點，好讓人聽懂。

「我三番兩次叫人，而且叫你的朋友寫信請你來，我難道會加罪於你嗎？我知道你曾向長毛上過書，你的那份上書我已看過，我不認爲你是勾通長毛，倒覺得有愛國之心。我明白告訴你，你給長毛建議的七條，除以《聖經》爲主課這一條外，其他六條我都能接受。」

容閎大爲驚訝。兩年前，他和兩個美國傳教士一起到太平天國考察，在蘇州、常州等地，他親眼見太平軍軍紀好，人民安居樂業，對太平天國的印象是好的。一進天京，與太平天國的高級官員接觸交談後，他失望了。他發覺那些天國要員們一個個觀念陳腐，見識鄙陋，且爭權奪利，結黨營私，容閎斷定這批人成不了事。其中稍有點頭腦的是乾王洪仁玕。容閎在香港時就認識他，算是天國最高領導層中最有新思想的人了。容閎向他提出七點建議：一、組建良好軍隊，二、辦武備學堂，三、建海軍學校，四、建人才政府，五、創辦銀行，六、以《聖經》爲主課，七、設立各種實業學校。這七點建議，乾王未給他任何明確答覆，卻送給他一個黃緞小包袱。容閎打開一看，是一顆四寸長、一寸寬的印，上刻「太平天國衛天義容閎」九個字。容閎對此哭笑不得，便把印依舊包好，放在客房裏，悄悄離開了天京。以後，他在江西、安徽一帶做茶葉生意，不管是官方還是太平天國，只要有生意他就做。李善蘭、華蘅芳、徐壽早聞其名，多次向曾國藩推薦。一直到第三封信上，容閎感其誠，遂來拜訪。他不曾料到，這個號稱理學名臣的兩江總督，對自己這套從西方搬來的設想竟然贊同！

「洋人的輪船槍炮的確比我們厲害，這是事實，我們要向洋人學習。你提出辦學校，這是個好主意。我們今後還要派出更多的人到外國去學習，學成後歸國，把我們自己的國家也慢慢建設得富強起來。容先生，聽說你就是從小出的洋？你在外國住了多少年？」

「我七歲時便在澳門跟隨英國傳教士古特拉富夫人讀書，十九歲時到美國，在耶魯大學學習，在美國住了八年。」容閎答。

「你是個人才。」曾國藩的臉上開始露出笑容，「國家正需要你這樣的人才。你願意在我手下當一名將官嗎？」

「在大人麾下當個軍官，當然是很榮耀的。」容閎起身，筆挺筆挺地站著。「不過，我從未經過軍旅之事，也沒學過軍事學，不能勝任。」

曾國藩對容閎剛才這個舉動甚爲滿意，湘軍中沒有這樣素質的將領。「我看你的長相必定是個良好將材，因爲你的目光威稜，一望便知是個有膽識之人，一定能發號施令，駕馭士卒。不過，既然你不樂意，我也不勉强。你今年多大了，授室了嗎？」

「我今年三十四歲，已娶妻生子。」容閎答。

「你願意在我的幕府裏做點別的事嗎？」曾國藩的語氣不知不覺地和藹多了。

「這要看總督大人安排我什麼樣的差事。」

凡到總督衙門裏來的人，無論才高才低，莫不卑詞謙容，像容閎這樣討價還價的還沒有過。曾國藩反倒喜歡他這種不曲意逢迎的性格，心想這大概是洋人教育的結果。一時想不出適當的差事，於是轉而問：「容先生，依你之見，今日欲為中國謀最有益最重要的事情，當從何著手？」

「總督大人，你提的問題是一個很大的問題，我尚未好好考慮。」容閎重新坐下，思考片刻，說，「當今最重要最有益的事，我想莫過於仿照洋人的辦法建一個機器廠。」

「我看最好建一個機器母廠。」楊國棟插話，「由這個母廠再製造各種各樣的機器，然後用這些機器去造槍炮子彈、戰船戰車。」

「對，這位老爺說得對！」容閎高興地說，「我的想法正是這樣，猶如母雞生蛋似的，有了這樣一個母機廠，過了十年八年，中國就可在全國各地建造許許多多的工廠。如此，中國就會跟外國一樣地强大了。」

「容先生，你的建議很好！你就住我這兒，不要再做茶葉生意了，和壬叔、雪村、若汀等人細細地籌辦此事。大致規劃一下，建造一個這樣的機器廠，要買些什麼樣的機器，需要多少銀子。商量好了，我請你再到美國、英國去辛苦一趟，帶著銀票去，把母機買回來。」曾國藩替容閎想到了一個差事。

曾國藩的這番話簡直使容閎震驚！今天是他歸國七年來最興奮的一天。他似乎覺得，多少年來在異國他鄉所設想的富國强兵的計劃，正在邁開最關鍵的第一步。

三　你還記得初次見我的情景嗎

幾天後，兵部火票遞來一份明發上諭：「浙江按察使著李元度補授」。曾國藩接到這份上諭後甚是惱火。

原來，李元度祁門請罪不赦之後，一氣之下，從糧台索回欠餉，將平江勇解散，徑直回湖南去了。不久，聖旨下達，李元度被革去徽寧池太廣道員職。曾國藩期望李閉門思過一段時期後再來找他。誰知李元度卻又跟王有齡聯繫上了，募集八千人，號稱「安越軍」，浩浩蕩蕩地由湖南開撥，經江西進浙江，沿途又在義寧、奉新、瑞州一帶打了幾場勝仗。江西巡撫毓科向皇上請功，皇上賞他布政使銜。進入浙江後，王有齡爲長期留住這支軍隊，又竭力向皇上保薦，於是有了這道上諭。李元度不服管束，不講交情，三番兩次明目張膽地背叛湘軍，投入一貫對湘軍懷著敵意的何桂清集團，這種以中行待老友，以智伯待怨仇的行爲，使曾國藩由惱而怒，由怒而恨，過去患難與共多年的友誼已不復存在了，結兒女親家的答謝諾言也不必兌現了，這兩三年逐漸壓抑下去的偏激性情又乘隙而生。他不要幕僚代筆，親擬一份奏章，給李元度列舉三條罪狀：一爲革職後不靜候審訊，擅自回籍；二爲義寧、奉新、瑞州無賊情，亦無接仗，係冒稟邀功；三爲赴浙途中節節逗留，貽誤戰機。並承認自己用人不明，保舉有誤，請皇上將李元度交部嚴處，永不錄用。

曾國藩由此想起李鴻章爲李元度說情之事。爲失地將領說情固然不對，但李鴻章離開祁門一年多來，袁甲三、勝保、德興阿、王有齡等人多次邀請他，許以重保，李鴻章都不爲之動心，寧願在江西賦閒，宛如那年在建昌旅館候見時一樣。與李元度的見異思遷比起來，李鴻章的一片忠心是多麼地難能可貴，何況其才其誼又都在李元度之上！曾國藩想到這裏，立即派彭壽頤帶著他的親筆信，前去饒州府接李鴻章來安慶。

李鴻章來了。他對恩師的認識，比恩師對他的認識還要深一層。他知道，恩師雖以理學名臣譽滿朝野，但決不是一個迂腐的理學先生，既深諳歷代權臣的用人之術，又有自己一套識別、考察、培育、駕馭、籠絡人才的辦法，被訓斥而改換門庭的人會令其恨之入骨，相反，疏遠之後仍忠心不改的人，則會獲其加倍的重用。曾國藩的這一手，果然被李鴻章看準了。年家子、受業生，再加上精明、才情和忠心，使李鴻章重入曾國藩幕後，受到了這位權綰四省的恩師的格外垂青。

這時，陳玉成受苗沛霖之騙，死於勝保之手，而李秀成以蘇福省為基地建設第二個小天堂的事業，則達到鼎盛時期。整個蘇南，除馮子材駐紮的鎭江城及上海一隅之地外，全部土地都在李秀成手裏。李秀成注意發展經濟，實行輕稅制度，贏得了廣大農民的擁護。農民作歌稱讚：「毛竹筍，兩頭黃，農民領袖李忠王，地主見他像閻王，農民見他賽過親娘！」蘇州、常州市民紛紛建牌坊，表達他們對忠王的崇敬。李秀成又在江西鉛山收容了從西征路上撤退回來的石達開部將童容海、朱衣點等二十萬人，軍勢益發壯大，隨即一舉攻克杭州，王有齡被迫自殺。太平軍在蘇南、浙江一帶如火如荼的聲勢，使上海日夜處在驚惶之中。

上海是中國第一富庶之城，每月僅厘金、捐輸的收入就達六十萬兩銀子，外國人麇集此地，以何桂淸、薛煥為首的江浙逃亡官吏和以錢鼎銘為首的江浙逃亡士紳也都聚集在這裏。洋人和官府都組織了武裝力量，試圖阻擋太平軍向上海進攻，其中最著名的是美國人華爾指揮、全用洋槍洋炮武裝的中外混合軍——常勝軍。但畢竟力量不足，於是公推錢鼎銘前往安慶，請曾國藩速派湘軍來上海。

餉銀極缺的曾國藩，絕對不能眼看上海落入太平軍之手，他派人火速趕到荷葉塘，要正在家休養的九弟擔負這個任務。曾國荃不答應。他的眼睛盯著江寧城。攻下安慶後，曾國荃認爲自己既有攻城的本事，又是天下第一福將，打江寧非他莫屬。這一點，曾國藩也有同感，見他不去，也就不勉强了。九弟不去，再派誰去呢？曾國藩將手下帶兵的將領一一掂了掂：李續宜是個病夫，鮑超是個莽夫，都不能擔此重任；張運蘭、蕭啓江均非大將之材；貞乾不能獨當一面；至於多隆阿、韋俊，從來就不能算是心腹，這樣的大事，豈能放心讓他們去幹；彭玉麟、楊載福固然適宜，但既然要成全老九的天下第一功，豈能又折他的水師輔翼！

一連幾天，曾國藩爲之寢食不安。這天吃完晚飯，他有意走出城外，遠一點去散步。時已深秋，草木凋零，安慶城外一片蕭條。曾國藩觸景生情，腦子裏浮起了宋玉悲秋的名句：「悲哉，秋之爲氣也，蕭瑟兮草木搖落而變衰，憭慄兮若在遠行，登山臨水送將歸。」驀地，他想起自己投筆從戎，已歷八、九年了。這些年來，清廷耗資數萬萬兩銀子，調集近百萬軍隊，從廣西打到江蘇，而長毛卻總不能撲滅，反而鬧得更紅火起來。天心何時才能厭亂，百姓何時才得安寧呢？而自己未老先衰，湘軍暮氣已生，有生之年還能重睹太平嗎？一時間，曾國藩心亂如麻，憂沮悲傷不能自己。他乾脆揀了一塊乾淨的石頭，坐下歇息，荊七在一旁站著侍候。

曾國藩瞇起老花眼睛，向四周無目的地張望。遠遠地看見兩匹快馬揚著灰塵，從西邊山坡邊奔來，一溜煙進了城門，後面有三條狂跑亂叫的黑狗在追趕。曾國藩對馬上騎手的剽悍豔羨不已。

「荊七，騎馬的人是誰，你看清楚了嗎？」

「好像是李觀察和他的弟弟昭慶，可能是從西山打獵回來。」剛才那兩人的騎術，也引起了王荊七的注意，他一直目送著他們進城。

「噢！」曾國藩輕輕地應著。是的，前天李昭慶來安慶，李鴻章還帶著他來請安哩！李鴻章四兄弟：瀚章、鴻章、鶴章、昭慶，個個既秉書香門第的文雅秀美，又兼淮北民眾的強悍勁氣。昭慶說他和三哥鶴章，在廬州招募了一千多鄉勇，護衛桑梓，大大小小也打過三、四十次仗，手下也有一批能幹人。說話間，少年崢嶸之色時露，曾國藩很是欣賞。一個念頭在心裏悄悄泛起：派李鴻章去上海如何？但眼下他無一兵一卒，能在短期內組建起一支軍隊嗎？

曾國藩回到衙門，將這個想法與趙烈文商量。趙烈文完全同意。並說出兩個更爲重要的理由來：一是曾家門第太盛，軍權太大，要謹防謗讟，預留後路。趁著現在興旺時期，讓李鴻章出來建一支淮軍，名爲另立門戶，實爲一家。萬一今後曾家有不測，湘軍有不測，只要李鴻章在，淮軍在，大局則不會破裂。二是河南、皖北捻軍勢力很大，江寧克復後，主要的敵人便是它了。仗打得久，軍營習氣必然滋生，且湘軍不服北方水土，今後平捻，還得靠由皖北招募的淮軍。趙烈文這兩個理由一說出，曾國藩不由得心悅誠服地欽佩，爲自己身邊有如此遠見卓識的人才而高興。儘管作爲自己的傳人，李鴻章還有許多不足之處，但權衡利弊，只有他最爲合適了。曾國藩不再猶豫，他要爲目前的救上海之危，更要爲以後的百年大計，把李鴻章全力扶植起來。

聽說要由自己去招募淮軍，援救上海，李鴻章比當年中進士點翰林還要興奮。他十分懂得亂世年頭，有槍便是草頭王的道理。上海一個月光厘捐就是六十萬，拿出一半來，就可以養五萬精兵了；手中有五萬精兵，誰還奈何得了！

李鴻章興沖沖地將招五萬捻軍的計劃向曾國藩稟報時，卻遭到當頭一盆冷水：「少荃，將在謀而不在勇，兵在精而不在多，這條古訓你都忘記了？」曾國藩嚴肅地說：「一次招募五萬，泥沙俱下，魚龍混雜，必然正經人少，無賴之徒多。你看長毛，動輒十萬二十萬，有時甚至號稱百萬，其實都是烏合之衆，稍一遇挫，便四散逃走了。這樣的兵，再多有什麼用！徒糜費糧餉罷了。你這次回廬州募勇，一定要以我和羅山先生過去招募湘勇的辦法，募那些有根有底、樸實勤苦的種田人，油滑的市井遊民，縱然聰明伶俐也不可要。」

「恩師指頭的是。」李鴻章忙點頭不迭，「那我先招兩萬。」

「兩萬也多了。」曾國藩搖搖頭。

「一萬如何？」

「先招五千。」曾國藩伸出一隻巴掌。

「好，我就先招五千！」乖覺的李鴻章忙點頭應允。心裏想：到了上海，有了銀子，打開了局面後，招多少還不由我！

「恩師，大家都說您會相人識人，門生想請您傳授一點識別兵勇的辦法。這次回去，好多挑選些有出息的官兵來。」

「相人識人，奧妙甚多，複雜得很，不是一兩句話可以說得清的，有些還不能言傳只能意會，關鍵在相者識者的閱歷。我曾經編過幾句口訣，念給你聽聽。」曾國藩微笑著說：「邪正看眼鼻，眞假看嘴唇，功名看氣慨，富貴看精神，主意看指爪，風波看腳筋，若要看條理，全在語言中。」

李鴻章輕輕地背誦了一遍，說：「這幾句口訣簡明扼要，只是門生愚陋，覺得空泛了些，好比說眞假看嘴唇，究竟什麼樣的嘴唇是眞，什麼樣的嘴唇是假呢？」

曾國藩大笑起來：「這就難說了。方才我講的，只可意會不可言傳，就是指的這些，要靠自己去揣摩。東坡說世上有許多事，只可了於心，不可達於筆，這相人識人一事最是如此。不過，你問的是識別兵勇，這是相人術中最簡單的，我就跟你細說幾句吧！」曾國藩捋著已變花白的長鬍鬚，正色道，「第一看五官。以雙目神不外散，鼻樑直，嘴唇厚爲最好。第二看皮膚。以膚色粗黑，雙手繭多爲最好。第三看說話。以木訥寡言爲最好。主要是這三條，其他都是次要的。」

曾國藩的三條相勇標準，給李鴻章很大的啓發。他恭恭敬敬地說：「門生一定按恩師所教的，挑選五千精壯淮軍前來。」

李鴻章的父親李文安官至刑部督捕司郎中，記名御史，他和哥哥瀚章又在外面做官，故李家在廬州頗有威望，加以鶴章、昭慶這幾年在家辦團練，與其他團練首領交往很多，當李鴻章振臂一呼時，便應者雲集，沒有幾天，應招的鄉勇就達到五、六萬。李鴻章不敢違背老師的意志，按照那三條相勇標準，從中精選了五千人，組建成十營，由李家多年的好友張樹聲、張樹珊、張樹屏三兄弟和周盛波、周盛傳兩兄弟及劉銘傳、潘鼎新、吳長慶、鶴章、昭慶十人爲營官，依次命名爲樹字一營二營三營、盛字一營二營、銘字營、鼎字營、慶字營、鶴字營、昭字營。二十天後，李鴻章便帶著五千淮軍整整齊齊地開進了安慶，在金保門外操兵場上，接受了兩江總督的檢閱。

曾國藩見五千勇丁絕大部分粗壯結實，頗爲滿意；但十個營官，僅潘鼎新爲舉人出身、鶴章昭慶出自讀書人世家，其他七人或爲鹽梟，或爲馬販子，或爲無業遊民，或爲鄉間土霸王，中有兩三人竟然一字不識，曾國藩對此很是憂慮。好在這些營官均武藝超羣有統馭士卒的威嚴，既已組建成軍，並開到安慶，曾國藩也就不再說什麼了。錢鼎銘心急如火，見軍隊已建好，巴不得他們立刻飛到上海，便以十八萬兩銀子的高額代價雇了七艘洋船，要將五千淮軍一次運走。

如此氣魄宏大的調兵遣將，令四方震動，淮軍將士人人自覺很闊氣風光，湘軍將士個個眼紅，巴不得哪天也開開這個洋葷，安慶百姓更是從未見過這個世面。一大早，江邊碼頭上，便老幼扶攜，人山人海了。

南門外上下三層的懷寧酒樓，是安慶城最大的酒家，三天前便開始謝絕一切客人，忙忙碌碌地作準備，這裏將要爲開赴上海的淮軍舉行盛大的餞行宴會。

辰時起，懷寧酒樓前的草坪上便陸續停下一頂頂呢轎、一匹匹駿馬。到了正午，寬闊的草坪便被轎、馬擠得水洩不通。這時，一隊衛兵過來，清出一條兩丈寬的過道。接著，一隊長轎緩緩抬來，在草坪邊停下。從打頭的綠呢轎裏走出今天宴會的主人——欽差大臣、協辦大學士、太子少保、兵部尚書銜節制四省軍務兩江總督曾國藩。他頭戴正一品紅珊瑚頂戴傘形紅纓帽，身穿繡有仙鶴補子的紺色九蟒五爪袍，腳套粉底的緞靴，下轎後，在過道口站定，並沒有開步。緊接著，從第二頂藍呢轎裏走下今天餞行的主要對象——按察使銜、福建延津邵道道員、淮軍統領李鴻章。他今天頭戴正三品藍寶石頂戴紅纓帽，身穿繡有孔雀補子暗紅九蟒五爪袍。跟著，從各色轎裏相繼走出李續宜、楊岳斌、彭玉麟、鮑超、多隆阿、康福等一班文武僚屬來，都一色的朝服，沒有品級的也換上簇新的衣帽。湘軍中的老營官哨官們記得，如此隆重的盛會，只有武昌城頒贈腰刀那一次。待大家都下了轎，曾國藩伸出右手，對李鴻章說：「少荃請！」

李鴻章一聽，慌得滿臉通紅，忙說：「恩師請，門生隨後侍候。」

曾國藩笑著說：「今天爲你餞行，理應你走在前。」

李鴻章急了，連聲說：「恩師請，恩師請！」

見曾國藩仍笑著站立不動，李鴻章深深地一彎腰，說：「恩師今天給門生這樣大的臉子，門生粉身碎骨不足以報答。」說到這裏，李鴻章激動得淚水盈眶。

曾國藩點點頭，似對這句話很滿意，便不再謙讓，邁著慣常穩重的步伐，走進了懷寧酒樓，李鴻章和彭玉麟等人隨後跟著。

懷寧酒樓的一、二兩層樓裏擺下三十桌酒席，那裏早已坐齊了湘淮兩軍營官以上的將領，以及安慶官場上的要員、鄉紳名流，還有錢鼎銘及七艘洋船的船長等等。曾國藩、李鴻章一行剛進門，等候在一樓的人便紛紛起立肅迎。曾國藩微笑著伸出手來，對著大家揮動幾下，然後登上樓梯向二樓走去。二樓只擺了五桌，這裏的人物身分更高一些，上首一桌特爲給曾國藩、李鴻章等人留著。曾國藩剛一落坐，熱氣騰騰的各色菜餚便不斷上來了。

徽菜與粵菜、川菜、湘菜、杭菜、閩菜、淮揚菜、魯菜齊名，號稱爲中國八大菜系。安慶城酒店裏的菜餚，更是徽菜的代表。儘管這座城市脫離戰火還不過半年光景，因爲總督衙門和湘軍統帥部設在這裏，舊官新貴雲集，尤其是那些在戰場上發了橫財的湘軍將官們，抱著「醉臥沙場君莫笑，古來征戰幾人回」的心態，一有機會來到安慶，便把它當作煙花溫柔之鄉，毫不吝嗇地將大把大把的銀錢拋向酒樓妓寮，故而刺激了安慶城在廢墟上很快地形成畸型的繁華。苦難中的安徽人民，從皖南皖北蜂擁向這座長江邊的古城，其中尤以廚師和少女爲多。徽菜這朵餚苑奇葩便在這片土地上重新開放。

徽菜向以燒燉爲主，講究眞材實料，火功到家，菜餚明油味濃，色澤紅潤，滋味醇厚，湯汁清純。懷寧酒樓的徽菜，公認爲安慶府裏第一號，老板和廚師們有意趁著這個百年難遇的機會，好好地表演一番，把懷寧酒樓的名氣傳到全國去，甚至想借洋船長之口遠播海外。廚師們使出渾身解數，精心烹調，老板站在廚房門口，每出一道菜，都要親口嚐一嚐，點頭了，才端出來。酒席上無論是冷盤熱菜、燒燉湯汁，道道菜都體現了徽菜風味。席上一片讚賞之聲，連那幾個不慣中國飲食的洋船長也伸出了大拇指，喜得十幾個跑堂臉上流油，腳底生風。徽菜中拿手壓軸戲是水族菜。打聽得酒席的主人最愛吃水物，今天傳統的荷包鯽魚、淸蒸鰣魚、蟹燒獅子頭、鹹水蝦更是做得令人叫絕。廚師們別出心裁地在這四盆水族菜上，用紅蘿蔔絲擺出「福」、「祿」、「壽」、「禧」四個字，招得酒樓上下滿堂喝采！

爲助酒興，老板還從戲班子裏請來了戲子。只見一旦一生正在對唱黃梅小調《夫妻觀燈》：「胖子來觀燈，擠得汗淋淋；瘦子來觀燈，擠成一把筋；長子來觀燈，擠得頭一伸；矮子來觀燈，他在人縫裏鑽。我夫妻二人向前走哎，觀燈觀人好開心！」風趣的唱詞，滑稽的動作，再配上動聽的黃梅調，把醉醺醺的客人們樂得捧腹大笑。此時此刻，他們哪裏還想得起就在安慶城外，貧瘠動亂的安徽大地上，數百萬人正在死亡線上掙扎，到處是哀鴻遍野、餓殍滿地的景象！

宴會進行到火熱的時候，曾國藩舉杯對大家說：「諸位在這裏寬懷暢飲，我和少荃到三樓茶室裏敍敍師生之情。」

說著，携起李鴻章的手走上三樓。

三樓早已佈置好了一個精緻的茶座。一把古色古香的宜興茶壺裏泡著碧青的婺源綠茶，几上擺著八色時鮮果品，曾李二人相對而坐。

李鴻章激動地說：「恩師爲門生舉辦這樣隆重的送別儀式，令門生沒齒不忘。不管今後發生什麼變化，有一點決不會改變，那就是，鴻章今生今世永遠是恩師的門生，是年伯的猶子。」

曾國藩微笑著點點頭，沒有作聲。過一會兒，他望著窗外寥廓江天，深情地問：「少荃，你還記得初次與我見面的情景嗎？」

「記得，記得。」聰明過人的李鴻章完全沒料到，老師會突然間提出這樣一個不著邊際的問題來，他誠惶誠恐地回憶道，「那是道光二十五年秋天，正是京師最好的季節，門生那年二十二歲，第一次隨父親進京。進京的當天晚上，父親便對門生說：我有個湖南同年，道德文章勝我十倍，明天帶你去拜他爲師。第二天一早，父親便帶我到碾兒胡同來拜見恩師。」

「你那天穿一件不合身的夾綢長袍，怯生生地站在我的面前，紅著臉喊了聲年伯後就不作聲了，像個大姑娘似的。」曾國藩開心地笑著，笑得李鴻章不好意思起來。

「門生從未見過世面，那時恩師在我的心目中，猶如半天雲端中的神一樣，高不可攀。」李鴻章說著，自己也禁不住笑了。

「少荃，你還記得我當時正在讀什麼書嗎？」對那天的情景，曾國藩記憶猶新，他有意考考眼前的門生。

「記得，記得。」李鴻章立即答道，「恩師那天讀的是《史記·高祖本紀》。」

「你爲何記得這樣清楚？」曾國藩興趣濃烈。

「恩師那天對門生說，平生最喜《莊》《韓》《史》《漢》四書，四書中又最愛《史記》，《史記》中尤愛讀《高祖本紀》，故門生記得。」

曾國藩微笑著點點頭：「少荃，我再告訴你，《高祖本紀》中我最愛這幾句話：已而呂后問：『陛下百歲後，蕭相國即死，令誰代之？』上曰：『曹參可。』問其次，上曰：『王陵可。』

李鴻章終於明白了曾國藩的用心，他從座位上站起來，虔誠地說：「門生永世不忘恩師的栽培，不負恩師的厚望。」

「這就好。」曾國藩指著空位子說，「你坐下，我還有很多話要對你講。」

「門生聆聽恩師教誨。」李鴻章坐下，兩手合著夾進兩腿縫隙之中，猶如當年在碾兒胡同受教時一樣。

「少荃，我問你，上海的情況你清楚嗎？」

「關於上海，門生略知一二，不知恩師要問哪方面的情況？」自從得知要組建淮軍救援上海後，李鴻章便以他一貫的精細作風，立即通過各條途徑對上海作了深入的研究。

「你先說說上海目前的防守。」

「上海目前的軍事力量，大致有五個方面。」李鴻章條理清楚地說，「一爲清廷在上海的防兵，原爲蘇撫薛煥的第三標，經過擴大後有近四千人。後來，從揚州、鎮江、杭州陸續去了一些人，再加之薛煥就地招募的鄉勇，清廷的防兵總共在三萬左右。」

「薛煥那人很可惡，他派滕嗣林到湖南募勇，幸而寄雲來信告訴我。對他不起，我將滕嗣林所募的四千人全部留下了。」寄雲是湘撫毛鴻賓的字，他是曾國藩的同年。

「薛煥眼紅湖南人能打仗，也想自己建一支湘軍。」李鴻章繼續說，「二爲團練，因係按畝出丁，人多，估計總在十萬左右。三爲英法洋兵，他們專爲保護本國在上海的租界，有三千人左右。四爲華爾爲頭領的華洋混合的洋槍隊，有五千人。五爲中外防務局，由英國參贊巴夏禮發起，主持者爲上海官紳中的頭面人物，有錢有物，但無軍隊。」

李鴻章對上海的軍事力量瞭如指掌，令曾國藩很滿意。暗思：這種精細程度，不僅老九遠不及，就是自己也不一定比得上，眞可謂靑出於藍而勝於藍。

「這五個方面的軍事力量，你打算主要依靠哪一方面？」

「門生將主要依靠華爾的洋槍隊。」李鴻章略爲思考後回答。

「對了，你的想法很好。」曾國藩含笑讚許，「這就是我要跟你說的第一件事。到上海後，必須跟洋人處好關係。守住上海，不讓它落到長毛手裏。在這點上，洋人與我們的利益一致。華爾的洋槍隊能打仗，遠勝薛煥手下的綠營，今後要和華爾協調作戰。洋人到中國來，不是要江山。咸豐十年八月洋人入京，不傷毀我宗廟社稷。目下在上海、寧波等處助我攻剿發逆。二者皆有德於我，我中國不宜忘其大者而怨其小者。但對洋人，我也一貫存有戒心。我向來不主張借洋人之力去收復城池。自古以來借外人之力辦事者，事成後遺患甚多，不可不引起注意。所以你到上海後，用洋人的軍事力量有個原則，即用之守上海則可，用之幫助收復其他城池則不可。洋人本性貪劣，誅求無度，這點你心裏要淸楚。總而言之，與洋人打交道，離不開四句話：言忠信，行篤敬，會防不會剿，先疏後親。你懂得這個意思嗎？」

「恩師是說用誠信之心與之相處，只用其力保上海，剛開始時不宜跟他們親密，以防他們卑視，待我軍打出威風後，洋人自然會靠攏我們的。」李鴻章像註釋六經經義似地，對老師的話加以闡述發揮。

「是這樣。」曾國藩滿意地輕輕點頭，「看來今後跟洋人打交道，你會比我圓熟，這點我放心了。第二點，上海是個通商碼頭，財貨多，但三面臨水，易攻難守，軍事上遠不如鎮江重要，且鎮江距江寧近，對攻打江寧有關鍵作用。馮子材人雖忠勇，才略不夠，你在上海一旦立穩腳跟後，便要設法移駐鎮江，我也會向朝廷奏請調走馮子材的。」

這一點，李鴻章沒想到。他重重地點了兩下頭，表示牢記了這個重要指示。

「再一個是人事問題。上海有三個人，看你將怎樣與他們相處。」

「恩師指的哪三個人？」

「一個何桂淸，一個薛煥，一個吳煦。」曾國藩扳著指頭，一個一個地點名。

這件事，李鴻章更沒想過。他茫然地望著老師，思索了一會，說：「何桂淸丟城失池，開槍殺士紳，朝野憤恨，我估計他早晚會被淸廷逮走。至於薛煥、吳煦，既然他們的巡撫、藩司的職務都已撤去，又一貫緊跟何桂淸，門生到上海後決不跟他們往來。只是蘇撫一職，不知朝廷將放何人？」

曾國藩望著李鴻章冷笑道：「你以爲蘇撫將放何人？」

李鴻章認眞地說：「門生以爲，第一合適的應是左季高。」

「左季高將放浙撫，上諭就要到了。」曾國藩平淡地說。

李鴻章一驚，暗想：左任浙撫，看來一定是老師的推薦；除左外，彭玉麟最合適，但他既然不受皖撫，自然也不會受蘇撫。停了一會，李鴻章神祕地說：「恩師，有一個人倒挺合適，不知恩師想到過沒有？」

「你是講哪一個？」

「林文忠公之婿、前贛南兵備道、門生的同年沈幼丹。此人有文忠公之風，耿介忠直，又在恩師幕中辦過軍務，受過恩師的感化，派他去任蘇撫也很適宜。」

「幼丹是不錯。」曾國藩望著樓下江面上緩慢行駛的一隊帆船，似不經意地點了點頭。沈葆楨早已在他的巡撫人選中，只是沈更適宜取代毓科在江西，但這尚在擬議中，不能說。「還有人嗎？」

李鴻章沉吟片刻，說：「門生平日對人才留心不夠，一時想不出了。」

曾國藩笑著說：「此人遠在千里，近在眼前。」

「恩師指的是門生？」李鴻章大吃一驚，渾身血液立即沸騰起來，臉和脖子都漲紅了。

「少荃，我早已想好了，你才大心細，勁氣內斂，現又統率淮軍入上海，你才是最合適的蘇撫人選。今日送你走，我明天就拜摺保薦你。」

這是李鴻章幾分鐘之前根本不敢想像的事，他一時激動得說不出話來，只用兩隻充滿著光彩和淚花的眼睛，無限感激地望著勝過父親的恩師。

「何桂清的事，你說對了。有人劾他，也有人保他。前幾天皇上詢問我的看法，我奏了這樣兩句話：『疆吏以城守爲大節，不宜以僚屬一言爲進止；大臣以心迹定功罪，不必以公稟有無爲權衡。』看來何桂清在世之日不久了。」曾國藩仍以平淡語氣說，「薛煥固然與何桂清爲同黨，但此人與恭王關係極其親密。撤了他的蘇撫，卻依然叫他以欽差大臣經辦東南沿海及長江沿岸通商交涉事務，由總理各國事務衙門管理。你想想，若無恭王在後作靠山，薛煥能得到這個肥缺嗎？少荃啦，我告訴你，說不定薛煥正是恭王安排在上海的耳目。」

「恩師，門生明白了，既然薛煥已卸去撫篆，專辦商事，門生也無必要開罪他，將他供起來，上天言好事，下地保平安。」李鴻章的腦子一點就通。

曾國藩輕輕頷首，繼續說：「吳煦長期控制江海關，執掌上海財權，此人在經營上很有一套。聽說這次他竭力主張請湘軍進上海，又是他拿錢出來租洋船。這表明吳煦與何桂清有別。這個財神爺你要用。你一任蘇撫後，便奏請恢復吳煦藩司兼關道之職，將他緊緊拴住。」

「恩師，我明白了，不僅對薛煥、吳煦是這樣，對上海、江蘇官場原則上也是這樣，只要不是死心塌地跟著何桂清與我們作對的，門生一律都讓他保持原官不動，以便穩定人心，一齊對付長毛。」李鴻章眞不愧爲他恩師的高徒，他能很快地舉一隅而反三隅。

「正是這個意思。」曾國藩高興地說，「看來你今後可以做個稱職的巡撫。」

「恩師，門生儘管授道員一職多年，但其實沒有做過一天地方官，蒙恩師提拔，不久就要做巡撫了，門生心中究竟沒有底，不知要怎樣才能不負恩師的期望。」

「少荃，你問得好。我今天擇其要端說幾條，你要好好記住。」曾國藩以手梳理鬍鬚，沉思片刻，不緊不慢地說，「督撫之職，在求人，一在治事。求人有四類，求之之道有三端。治事也有四類，治之之道也有三端。求人之四類，曰官，曰紳，曰綠營之兵，曰招募之勇。其求之之道三端，曰訪查，曰教化，曰督責。採訪如鷙鳥猛禽之求食，如商賈之求財；訪之既得，又辨其賢否，察其眞僞。教者，誨人以善而導之；化者，率之以親身。督責，如商鞅立木之法，孫子斬美人之意，所謂千金在前，猛虎在後。治事之四類，曰兵事，曰餉事，曰吏事，曰交際之事。其治之之道三端，曰剖析，曰簡要，曰綜核。剖析者，如治骨角者之切，如治玉石者之琢。每一事來，先須剖成兩片，由兩片而剖成四片，四片而剖成八片，愈剖愈懸絕，愈剖愈細密，如紀昌之視虱如輪，如庖丁之批隙導窾，總不使有一處之顢頇，一絲之含混。簡要者，事雖千端萬緒，而其要處不過一二語罷了。如人身雖大，而脈絡針穴不過數處；萬卷雖多，而提要鈎玄不過數句。凡禦衆之道，教下之法，要則易知，簡則易從，稍繁難則不信不從。綜核者，如爲學之道，既日知所無，又須月無忘其所能。每日所治之事，至一月兩月又綜核一次。軍事、吏事，則月有課，歲有考；餉事則平日有流水之數，數月有總滙之帳。總之，以後勝前者爲進境。這兩個四類三端，時時究之於心，則督撫之道思過半矣。近日來，我綜觀前史，總結出這樣兩句話：盛世創業之英雄，以襟懷豁達爲第一義；末世扶危救難之英雄，以心力勞苦爲第一義。少荃，我輩當此危難亂世，要做英雄，捨勞苦之外沒有捷徑，切不可以巡撫位高權重而稍有鬆懈。」

這一番教導，使李鴻章對眼前這個恩師佩服得五體投地，眞有「仰之彌高，鑽之彌深，瞻之在前，忽焉在後」之感。他深知這正是恩師一生的眞才實學所在，可供自己一生學之不盡，用之不竭，遂如吸墨紙似地，將每字每句都一一印在心上。

這時，江面上汽笛長鳴，七艘洋船就要一齊起錨了。錢鼎銘走上三樓，對曾國藩說：「大人，洋船在催李觀察了。」

「好，我們下去。」曾國藩和李鴻章併肩走下酒樓。五千淮軍已全部上了船，送行人員列隊站在碼頭上，不斷地揮手致意，單等李鴻章一到便開船。曾國藩把李鴻章送到跳板邊，李鴻章一再打躬，請恩師止步。

「少荃，上船吧，祝你一路順風！」

「恩師山之恩德，海之情誼，門生沒齒不忘！」李鴻章又一彎腰，發自肺腑地感謝。他正要轉身上跳板，突然被曾國藩叫住了：

「少荃，忘記告訴你一件大事了。我今日送你去上海，好比嫁女一般，豈能無一點嫁妝？我再送你三個營：楊鼎勛的勛字營，郭松林的松字營、程學啓的開字營，共一千五百人，隨後就到。」

李鴻章先是欣喜，接著便是不安。他很快地調整了感情的變化，露出滿臉笑容來：「門生深謝恩師的厚待！」說完，轉身踏著跳板向洋船走去。

四　安慶操兵場的開花炮彈

自那次會面以後，容閎和曾國藩又長談了兩次。曾國藩認定容閎是個誠實可靠的人，給了他六萬五千兩銀子，要他到歐美去採購機器。容閎感謝曾國藩對他的信任，回到廣東香山老家，將老母安頓好之後，便揚帆遠行了。曾國藩又接受容閎的建議，在安慶城外建了一個軍火工廠，取名爲安慶內軍械所，委派楊國棟負責，李善蘭、華蘅芳、徐壽等人參與，仿照洋人的辦法製造槍炮子彈。楊國棟也帶了三萬兩銀子，南下廣東聘請技師工匠，採買工具原料。楊國棟回來後，帶來十幾個匠師，安慶內軍械所轟轟烈烈地辦起來了。曾國藩每隔兩三天都要到軍械所去轉一轉，看一看，心裏想得很美妙：先把安慶這個廠辦好，培養一大批熟練的工匠出來，然後再在上海、武昌、長沙、南昌等地也開辦起來，慢慢地再擴大到全國去，這樣就可以製造出大量和洋人一樣的槍炮子彈來，以後還要造輪船、造鐘錶，造各式各樣的精巧器具，現在先用它對付長毛，往後再跟洋人爭高低、決勝負，不信中國就不可以徐圖自強。

這時，左宗棠授浙撫、李鴻章授蘇撫、沈葆楨授贛撫的上諭也相繼下達。又批准新建淮揚、寧國、太湖三個水師。淮揚水師統領為黃翼升、寧國水師統領為李朝斌、太湖水師統領由彭玉麟兼任。不久，曾國荃由荷葉塘來到安慶，並帶來了新募的六千湘勇，加上吉字營和貞字營的原有人數，已達兩萬。現在，蘇皖贛浙四省的巡撫，或為朋友僚屬，或為門生部下，調度分派，猶如指臂，更兼陸軍壯大，水師齊備，文武同心，上下協辦，應是謀取江寧首功的時候了。曾國藩召集湘軍高級將領和全體參與軍機策畫的幕僚們，在安慶督署內日夜商討進兵江寧的大計，最後在汪士鐸提出的分布攻守之策的基礎上，綜合其他人的有益建議，制定了三面並舉、五路進軍的用兵總計劃。

三面並舉，即由以吉字大營為主體的湘軍從西面、以湘軍分支楚軍為主體從南面，以及以淮軍為主體從東面同時並舉，合圍金陵。這三方面的統帥分別為曾國荃、左宗棠和李鴻章。五路進軍，是指西面的四支陸軍和長江水師。陸路四支人馬：曾國荃由蕪湖、太平取秣陵為南路，鮑超由寧國、廣德進取句容、淳化為東路，多隆阿由廬州、全椒進取浦口、九洑洲為西路，李續宜由鎮江取燕子磯為北路。這四路以曾國荃的南路為主攻，其他三路為游擊之師打援。鮑超、多隆阿、李續宜都想得攻克金陵首功，但掂一掂聲勢、實力，都不能跟曾國荃相比，也便罷了。

會議完畢，各路將領都來向曾國藩辭行。曾國藩笑咪咪地對大家說：「明天一早都到閱兵場去，我請你們看個把戲，權且爲各位將軍壯行色。」

大家不知總督大人要玩個什麼把戲，都抱著好奇之心，第二天一大早便會齊在閱兵場。金保門外閱兵場，正中擺著一門擦得晶亮發光的短炸炮。這種炮，將士們都稱之爲田雞炮。因爲它的炮身很短，成四十五度角朝天，極像一隻前肢撐起的田雞(青蛙)。旁邊一隻大竹筐裏堆滿一筐新鑄的炮彈，每個炮彈上都圍著一條紅綢，十分引人注目。田雞炮的另一面放著疊起的一包包火藥。田雞炮的周圍放著幾排靠背椅，一百多名湘軍、綠營的高級將領規規矩矩地坐在椅子上，一齊望著這門田雞炮和它旁邊的楊國棟、華蘅芳、徐壽、李善蘭等人。當曾國藩走進圈子中時，全體將官一齊站起。曾國藩以少見的喜悅招呼大家坐下，大聲說：「今天請各位來看看我們內軍械所最近鑄造的開花炮，這是若汀、雪村他們經過幾個月的殫精竭慮造出來的，前天已試驗過一次，放了三個，個個開花，今天大家也來開開眼界。開花炮是洋人造出來的，正式用在戰場上還不久，我國戰場上至今還沒有用過。前次楊國棟到廣東買了十幾個，又向洋人專家請教了製造技術，若汀、雪村將這十幾個洋開花彈一個個地拆開，仔細研究，終於造出來了。這在我們中國還是第一次，以後我們就可以成批生產了。現在請若汀先跟大家講講。」

高高瘦瘦的華蘅芳走到大家跟前，他的身旁跟著一個高大雄壯的兵士，兵士雙手捧著一個炮彈。華蘅芳指著兵士，操一口無錫官話說：「各位將軍，大家看這顆炮彈與諸位平時用過的有哪些不同。」

將領們的目光轉向兵士手裏的炮彈。有的喊：「這顆炮彈大些！」有的嚷：「這顆炮彈是長的尖的。」

華蘅芳笑著說：「大家說的都對，這顆炮彈是比往常的炮彈都大、都長，頭子是尖尖的。這只是從外表看，最主要的是內裏的不同，它不是實的，是空的。」

「空的？」「空的能殺傷人嗎？」將領們感到奇怪，紛紛議論起來。

「它裏面裝了引信和炸藥，射出後，引信點燃裏面的炸藥，引起爆炸，整個炮彈都炸開了，就像開花一樣，所以叫做開花炮。」華蘅芳詳細地講解給大家聽。

「鐵片炸開，十幾丈遠的人都會被打死！」「可不，眞是個厲害的東西！」「有了這種東西，再也不怕長毛人多了。」

像煮開一鍋水一樣，將領們又情不自禁地議論起來，個個臉上笑顏逐開。

「現在就由炮手放幾個給大家看看。」華蘅芳說完，三個炮手走到田雞炮的旁邊。一個炮手拿起一袋炸藥，一個炮手拿起一個炮彈，都從炮口裏向下塞，先塞炸藥，再放炮彈；放進後，又用一根粗長木柱從炮口裏伸進去，用力搗緊。抽出木柱後，這兩個炮手都退到一邊。這時，第三個炮手來到炮身引火口。將要引火時，華蘅芳擺擺手，對大家說：「各位看清了，前方三百丈遠處有一座磚石疊起的屋子。開炮後，再來看看效果。」

說完發令點火。只見火光一閃，一陣劇烈的響聲從炮身裏發出，眨眼功夫，遠處傳來一聲雷鳴。大家看時，目標處磚石橫飛，濃煙滾滾。一百多名將領全都興奮得從椅子上跳起來，歡呼聲、喝采聲、鼓掌聲驚天動地。待硝煙稍稍變淡後，大家便飛奔著向前方跑去，果然見一座磚石木房被轟去了一角。劉連捷、彭毓橘等人在屋邊尋到好幾片鐵塊，那正是炸開後的彈片。一連又放了三個，都像第一個一樣，傳來三聲炸雷，燃起三堆濃煙，最後將那座房子夷爲平地！

各位將領都擁向楊國棟、華蘅芳等人，問造了多少個。李臣典蠻覇，不容分說地將竹筐裏剩下的五個炮彈雙手捧起，飛也似地跑了。曾國藩招呼大家重新坐好，笑容滿面地說：「各位都看到了吧！開花炮比實心炮强十倍還不止。內軍械所已經試驗成功了，就不愁大批生產。以後每天造出十幾個來，一個月就可以造出三、四百個，都會發給各位的。我已叫李少荃在上海向洋人購買三百尊田雞炮，買來後也會分給各位，今後對付長毛就更容易了。」將領們又一陣歡呼。曾國藩繼續說：「前幾年去世的魏默深先生，是我們湖南一個了不起的人物，他早在二十年前就說過師夷長技以制夷的話，可惜這句話未被世人重視。洋人在製造槍炮輪船方面比我們能幹，這是事實。其實，火炮本是我們中國人最先造出來的。大家知不知道，南宋時有個叫陳規的人，將火藥塡塞在竹子裏，然後點燃火藥，竹杆裏噴出火來。一百年後，就離我們安慶不到五百里遠的壽州，又出現了突火槍，內裝火藥彈丸，這就是今天洋人槍炮的鼻祖。那個時候，洋人還不知道火藥是什麼東西。」這時，將領們都笑起來，佩服總督大人知識的淵博。

「後來，洋人走到我們前面去了。我們不能制止洋人的前進，但我們可以學習洋人的技術。洋人並不比我們多長一個心眼，他們能做到的事，我們也可以做到。現在製成了開花炮彈，下一步就要製造炮身，再下一步就要造輪船，先用它來對付長毛，再用它來對付洋人，這就是魏老先生的師夷長技以制夷。」將領們熱烈地鼓起掌來，經久不息。待掌聲平定後，曾國藩又笑著說：「內軍械所的幾位先生製造了開花炮彈，功勞極大，除每人獎賞一百兩銀子外，我還要送給•

他們一件禮物。」

這時王荊七走過來，遞給曾國藩一根兩尺來長的鐵筒。曾國藩舉著它問：「諸位知道它是什麼東西嗎？」眾人齊搖頭。「這是千里鏡，用它看東西，五六里路外走過來的人，都可以清楚地看出他是男是女，是老是少。」人堆裏一片稱讚聲。

「少荃到上海後，英國海軍司令何伯送他兩個千里鏡，他又轉送一個給我。今天我把它轉送給內軍械所，以後檢驗開花炮效用，就不必跑路了，站在炮旁就可以看得清清楚楚。這個東西很好。我已告訴少荃，叫他不惜重金向何伯買幾十個來，諸位打仗正急需它。現在大家可以輪流來看看。」說完，曾國藩將千里鏡遞給將領們，每人都看了一眼，無不驚嘆。

千里鏡再次傳到曾國藩的手中，他興猶未盡，又發出一通出人意料的議論來：「不知各位看後有什麼感覺？我看後心裏想，不論鋼鐵、玻璃等物，一經洋人琢磨成器，便精耀奪目，我從中悟出一個道理：天下之物，凡加倍磨治，皆可變換本質，別生精彩，何況人之於學！但能日新又新，百倍其功，何必憂慮不能變化氣質，超凡入聖？我從青年時代便有志於學，但一晃二三十年過去了，依然如故，學業一無可取。看到這具千里鏡，我覺得慚愧。」

田雞炮周圍的湘軍、綠營高級將領們聽了兩江總督這番由千里鏡聯想到求學進德的話，無不感嘆萬分。李善蘭見曾國藩今日興致這麼高，在回衙署的路上，悄悄地對他說：「中堂大人，四年前我和偉烈亞力將《幾何原本》剩下的九章譯完，當時承松江韓祿卿資助，刻印了一百本。前向祿卿來信，說版毀於戰火。我一貧如洗，無力再刻，中堂大人能否撥點銀子——」

「行！你看要撥多少？」不待李善蘭說完，曾國藩欣然答應。

李善蘭很是感激，忙說：「前次刻用了二百兩銀子，印用了五十兩，這次我想多印一百部，刻印合起來要三百兩銀子。」

「好，我給你四百兩銀子，另一百兩算是給你的潤筆。」

「謝謝中堂大人。」李善蘭感激不盡地說：「我不要潤筆，加那一百兩銀子就可以印四百部了，廣贈有志學子，使洋人的絕技讓更多人掌握。不過，我有個請求，請中堂大人賜一篇序言。」

曾國藩爲李善蘭的學者情操所感動，懇切地說：「你們繼續利瑪竇和徐光啓的未竟事業，將造福於我中國子孫後代，我理應爲你們作一篇序言，可惜我平生對天文曆數一竅不通，寫些什麼呢？」走了幾步，又站住，望著李善蘭說：「壬叔，假使你不在意的話，紀澤過兩天就會來安慶，他對這些東西懂一些，就讓他先擬個稿，我再潤潤色，用我的名義刻出去，好嗎？」

「能借得長公子的大筆，當然是很好的，何況中堂大人還要親自潤色，太謝謝大人了！」李善蘭情緒激動地說。

五　含雄奇於淡遠之中

安慶幕府聚集著衆多全國一時俊傑，使一向愛才惜才的曾國藩頗爲以此自豪。他素來重視對子弟的教育。長子紀澤今年二十四歲了，前次鄉試未中，作父親的不以爲然，兒子的情緒卻受到影響，來信中有些抑鬱之詞，父親覺得對兒子有虧欠。咸豐二年，紀澤十四歲，正是求學的黃金時代，不幸離開了京師。這些年，他帶兵打仗，已置身家於不顧，更談不上對兒子的教育了。兒子天資聰穎，也知上進，只是家鄉無良師。倘若因此而不能成才，不僅害了兒子，作父親的也會後悔不已。現在這裏名師如林、嘉朋如雲，更兼父子可以朝夕相處，時常加以點撥，眞正是課子的好環境。爲此，他要兒子割捨燕爾新婚的情絲，速來安慶求學。

半月前，紀澤到了安慶，隨行的還有南五舅的獨子江慶才。江慶才小時候因家境不好輟學務農，後來靠著曾國藩的接濟，又斷斷續續唸了幾年書，但終因基礎太差，長進不大。江慶才一見作了大官的表哥，便痛哭不已，說父親臨終時一再要他來找表哥，謀一份差使，免得再在鄉里受苦。表弟的能力，曾國藩大致知道些，看在南五舅的份上，沒有一口回絕，心中也有三分成全的意思。總督幕府重金聘請、多方羅致四海才俊，對於前來投奔的，只要有一技之長，也量才使用，不加拒絕，但對無能之輩，庸碌之徒決不收留。曾國藩的觀點是：牛驥同槽，庸傑不分，必然使英雄氣短，才士齒寒。

半個月來，曾國藩有意識地考察了江慶才，交給他幾件事，都不能辦好；性格又疏懶、褊急，愛以總督表弟自居。尤其是昨天一起吃飯時，親眼看見他將飯碗裏的穀一粒粒挑出來，丟到腳底下。曾國藩心裏很不舒服。他自己吃飯時遇到穀，總是去掉穀殼，把裏面的米嚼碎嚥下，從未連米扔掉過。一個貧苦出身的人，才過了幾年好日子便忘了本，曾國藩於這件小事上看出江慶才不堪造就。昨夜爲此事思考很久，終於下決心了：盡管南五舅有恩於前，盡管江慶才是至親，也決計打發他回家，安慶幕府不能留下這個闒冗。今天一大早，曾國藩跟表弟好說歹說談了半個時辰，又從積蓄中拿出一百兩銀子，又親自寫了「世事多因忙裏錯，好人半從苦中來」的對聯勉勵他，總算把表弟說通了。

處理好這件事後，曾國藩開始做他每晨必做的功課——臨帖。這些日子臨的是劉墉的《清愛堂帖》，這是紀澤帶來的。

去年，卜居寧鄉善嶺山的唐鑒，以八十四歲高齡辭世。曾國藩接到訃告後十分傷心，命紀澤代他到寧鄉吊唁。唐鑒的侄兒將一本字帖交給紀澤，說是伯父生前叮囑的，此帖留給曾制台。這本字帖就是《清愛堂帖》。

曾國藩接過這本字帖，唏噓良久，二十年前從鏡海師研習程朱理學、探討前代興亡的往事，一一浮上心頭，宛如昨天。這本字帖，他曾在唐鑒的書齋裏多次見過。後來唐鑒致仕，字帖被送回善化老家。曾國藩那年回家守母喪時，還特爲到善化把它借來，細心臨摹過一段時期。劉墉號石庵，謚文清，乾隆朝大學士，書法冠絕一時。《清愛堂帖》集中地體現了他的書法藝術成就，是字帖中的珍品。對唐鑒了解甚深的曾國藩，知道老師如此鄭重地將這本字帖作爲遺物留給自己，決不僅僅只在臨摹觀賞，一定另有深意。但鏡海師死前兩年已不能作字，又沒有遺言留下來，這中間的深意究竟是什麼?半個月來，曾國藩天天臨《清愛堂帖》，天天對帖思考，卻始終沒有琢磨透。

今天，他凝神靜氣地臨摹了兩刻鐘後，又對著字帖深思起來。劉石庵的字，粗看起來天趣自然，有小橋流水、遠山淡墨之意境，細究則筆筆剛健，字字雄放，包含著黃河長江般豪壯氣慨。他將帖子又從頭至尾一字一字地鑑賞一遍，看完後，又對整頁整頁作一番鳥瞰。忽然，如同一道陽光射了進來似的，他的心扉亮堂了。他趕緊拿出日記本來，記下今天這個不尋常的頓悟：

看劉文清公《清愛堂帖》，略得其自然之趣，方悟文人技藝佳境有二，曰雄奇，曰淡遠。作文然，作詩然，作字亦然。若能含雄奇於淡遠之中，尤爲可貴。

寫完，又輕輕讀了一遍，在「含雄奇於淡遠之中」一句下畫了幾個圈。他十分欣賞這句話，自認這是個很大的發現。一時思緒泉湧，不可遏止。他奮筆續寫：

昔姚先生論古文之道，有得於陽與剛之美者，有得於陰與柔之美者，二端判分，划然不謀。然柔和淵懿之中，必有堅勁之質、雄直之氣運乎其中，乃有以自立。

想了想，又寫下去：

作字之道須陽剛陰柔並進，有著力而取險勁之勢，有不著力而得自然之味，著力如昌黎之文，不著力如淵明之詩，二者闕一不可，亦猶文家所謂陽剛之美、陰柔之美矣。

他覺個意猶未盡，於是又添了一段：

大抵作字及作詩古文，胸中須有一段奇氣盤結於中，而達之於筆墨者，卻須遏抑掩蔽，不令過露，乃爲深至。

曾國藩把這幾段聯起來讀了一遍，深感自己今天對字、對詩、對文的研究突然進到了一個全新的境界。難道這就是鏡海師的深意嗎？鏡海師一生以國計民生爲重，以培養學生的人格爲重，素來視詩文字畫爲末技；而自己這幾年來位居總督，帶兵十萬，早已不再是翰苑舞文弄墨的書生了。顯然，鏡海師的用意還不在於此。曾國藩離開書案，在房子裏慢慢踱步。走了幾步，他驀然明白了。常言道字如其人，文如其人，作字作文與作人是相通的，既然字可寓雄奇於淡遠之中，文可含陽剛於陰柔之中，那麼爲人爲什麼不可以如此呢？曾國藩明白過來，也喜悅起來，在日記的結尾處，迅速添上兩句話：「含剛强於柔弱之中，寓申韓於黃老之內。斯爲人爲官之佳境。」像一個高明的畫師終於完成了最後最得意的一筆，整個畫面瞬時光彩奪目，曾國藩覺得今天這篇日記也因這兩句話而滿篇生輝。他心裏想，鏡海師送帖的深遠意義，可能就在於此。

今天的這個早晨過得太有意義了，曾國藩的心情很舒暢，想起兒子來安慶這麼久了，也沒有好好地跟他談過話。吃過晚飯，他特地叫兒子到書房裏來。

曾紀澤身子單薄，不及父親青年時代的厚實，五官與父親一個樣子，只是線條沒有父親的硬朗，顯得柔和一些。待兒子坐下後，曾國藩說：「我這一向很忙，也沒和你多說幾句話。那天到時，我忘記問你了，你在武昌以後坐的船是我原來的座船，船上有一面帥字旗，沿途這面旗幟張掛沒有?」

「沒有。」紀澤恭恭敬敬地回答,「表叔看到後說要掛起來,我沒同意。」

「哦,要得。我還問你一句,我寫信要你不要驚動地方文武,你做到了嗎?」

「兒謹遵父命,沿途所有地方文武的宴請一概謝絕,只在湖口彭侍郎的衙門裏歇了一晚。」

「要得,要得。」曾國藩點點頭,「甲三,我一再跟你說過,我不望子孫做大官,只望做明理曉事的君子。鄉試中不中,不是重要的,關鍵是把書中的道理參透,這一陣子心情舒坦些了嗎?」

「兒子在家時,接讀父親手諭,已開朗不少。這次千里乘船來安慶,沿途見山川形勝,風光綺麗,心胸大大開闊了。」曾紀澤高興地笑著,臉上露出孩童般純眞的光輝,使曾國藩十分欣慰。

「這便是古人說的,不僅要讀萬卷書,還要行萬里路。蘇子由說得好:太史公行天下,周覽四海名山大川,與燕趙間豪傑交遊,故其文疏蕩,頗有奇氣。心胸一開闊,人的見識也就自然高了。從來功名乃天數,非强求可得,唯聖賢可學而至。我要你摹畫三十二位聖賢像,用心便在此。這三十二位聖賢,你都記在心中嗎?數出來給我聽聽。」

「文王、周公、孔子、孟子、左丘明、莊子、司馬遷、班固、諸葛亮、陸贄、范仲淹、司馬光、周敦頤、程頤、程頤、張載、朱熹、韓愈、柳宗元、歐陽修、曾鞏、李白、杜甫、蘇軾、黃庭堅、許愼、鄭玄、杜佑、馬端臨、顧炎武、秦蕙田、姚鼐、王念孫。」

紀澤每數一個，曾國藩就扳下一個指頭，數到「王念孫」時，恰好三十二個。曾國藩感到滿意，說：「我寫了一篇《聖哲畫像記》，你拿去好好誦讀，以這三十二個聖哲爲榜樣，時時鞭策自己。」

「是。」紀澤答，那恭敬嚴肅頗像曾國藩祇領聖旨時的樣子。

曾國藩又問了兒子關於叔祖父當時出殯安葬的情況，以及母親、四叔父和各位嬸母的飲食起居。

「紀耀今春出嫁，我也跟紀靜一樣，只付二百兩銀子回家，陳家沒講空話吧？」

「陳家倒是沒說什麼，旁人都不相信，說是大學士嫁女，只有付二百兩銀子嫁妝，天下哪有這樣的怪事！」紀澤笑笑說，「三妹出嫁的前一天，她的一把金耳挖被賊偷了。」

「紀耀那有這種東西？」曾國藩皺著眉頭問。

「是母親偷偷替她打的，只有七錢重，用去二十兩銀子。爲了這個金耳挖被偷，母親一連三個夜晚未睡好覺，淚流不止。這事傳出去，大家都說大學士夫人竟爲一個金耳挖這樣傷心，可見家中金銀不多。於是，二百兩銀子嫁女也就相信了。」

「今後紀琛、紀純、紀芬出嫁都以此爲定例，一律二百兩。」過一會，曾國藩又問，「你們兄弟最近讀些什麼書。」

「紀鴻跟洧先生讀《詩經》《爾雅》，我在讀《漢書》。」

「我生平最愛讀《史》、《漢》、《莊》、《韓》四書，你能讀《漢書》，我很欣慰。」曾國藩順手從案桌邊拿起一本《漢書》翻了翻，「我每天不管事情多忙，都堅持讀史書十頁。你現在無事，至少要讀七、八十頁。讀《漢書》有兩種難處，一是假借奇字多，一是難解的句子多。你必須先通小學、訓詁之學，先習古文辭章之學，才能把《漢書》讀通。」

「父親指教的是。兒子於小學、古文辭章之學基礎都不深厚。」

「錢警石老先生、俞蔭甫、莫子偲等人都精於小學、訓詁之學，你遇有疑難，可多向他們請教。黎蒓齋、吳摯甫他們，年齡和你差不多，古文根基卻比你深厚得多，你要放下大公子的架子，平素多與他們相處。」

「兒子讀書十多年了，總像還未得到讀書的奧妙似的，父親，這讀書到底有沒有訣竅？」這幾年來，曾紀澤一直在想這個事，今天可以當面向父親請教了。

「讀書沒有訣竅，就在於熟讀深思，但要說一點沒有也不是。」曾國藩思索了一下，說，「依我之見，讀書的訣竅在看、讀、寫、作四字緊密配合，每日不可缺一。這話我以前好像對你說過。」

「我還想請父親詳加指點。」紀澤瞪著兩眼聚精會神地望著父親。這雙眼睛的外形與父親極像，但明顯缺乏父親那種威凜逼人的神采，而顯得柔軟溫和，它來自母親歐陽夫人的遺傳。

「看，指的默觀，如你去年看《史記》、《韓文》、《近思錄》、《周易折中》，今年看《漢書》。讀，指的高聲朗誦，如《四書》《詩》《書》《左傳》諸經，《昭明文選》、李杜韓蘇之詩，韓歐曾王之文，非高聲朗誦則不能得其雄偉之概，非密詠恬吟則不能探其深遠之韻。譬如富家居積：看書則好比在外貿易，獲利三倍；讀書則好比在家慎守，不經花費。又譬如兵家戰爭：看書好比攻城掠地，開拓土宇，讀書則好比深溝堅壘，得地能守。二者不可偏廢。至於寫和作——」

「寫和作不是一回事嗎？」紀澤插話。

「不是一回事。」曾國藩溫和地對兒子說，「寫，是指抄寫。對於好的文、句和章節，不但看、讀，還要寫，將它抄一遍，記得就更牢了。眞行篆隸，你都愛好，切不可間斷一日，既要求好，又要求快。我生平因寫字遲鈍，吃虧不少，你須力求敏捷，每日能作楷書一萬，那就差不多了。」

「我一天到黑坐著不動，還只能寫八千。」

「努力練，可以做得到的。羅伯宜抄奏摺，一天能抄一萬二，晚上還可以陪我下圍棋。」曾國藩拿出一份羅伯宜剛抄好的普通奏摺給兒子看，「羅伯宜不但抄得快，而且沒有差錯，一篇奏摺抄下來，一個字不改，我每個月給他三十兩銀子薪水，跟其他幕僚差不多。有人不服氣，說羅伯宜年輕，沒有別的長處，就這點能耐也拿這麼多銀子。我說，他這點長處就值得拿三十兩銀子，用人如用器，這個長處對我很有用，我就重用他。」

曾紀澤細看奏摺，字果然寫得好，一個個蠅頭小楷，又端莊又秀美，令人嘆爲觀止。他心裏想，這裏人才的確不少。

「至於作，是指的作詩文，作四書文，作試帖詩，作律賦，作古今體詩，作古文，作駢體文，這些都要一一講求，一一試爲之。作詩文宜在二三十歲前立定規模，過三十則難長進。少年不可怕醜，須有狂者進取之趣。這時不試爲之，則此後年紀大了，愈發不肯爲了。」

「父親教導的是。」紀澤說，心裏想：「難怪四叔父從不作詩文，遇有應酬，總是推給我，大概是年輕時沒有立定規模，現在年歲大了，怕醜的緣故。」

「父親，剛才你所教導的看、讀、寫、作四字訣竅，爲兒子迷途指津。兒子素日讀書，對於書上講的，常常覺得似乎是明白了，但仔細思想起來，又無什麼心得，這不知是什麼原因？」

「你的這個困惑，我在年輕時常常遇到。」曾國藩又擺出他慣常的姿態，伸出右手慢條斯理地梳理鬍鬚，「朱子教人讀書，曾講過八個字：虛心涵泳，切己體察。虛心，好理解，即不存成見，虛懷若谷。涵泳二字最不易識，我直到四十上下才慢慢體驗出。所謂涵者，好比春雨潤花，清渠溉稻。雨之潤花，過小則難透，過大則離披，適中則涵濡而滋液。清渠之溉稻，過小則枯槁，過多則傷澇，適中則涵養而勃興。泳者，則好比魚之游水，人之濯足。程子謂魚躍於淵，活潑潑地，莊子言濠梁觀魚，安知非樂，此魚水之快樂。左太沖有『濯足萬里游』之句，蘇子瞻有夜臥濯足詩，有浴罷詩，也是說人性樂於水。善讀書，須視書於水，而視此心如稻如花如魚如濯足，則大致能理解了。切己體察，就是說將自身置進去來體驗觀察。好比《孟子‧離婁》首章『上無道揆，下無法守』，年輕時讀這兩句話無甚心得。近年來在地方辦事，乃知在上之人必遵循於道，在下之人必遵守於法。若每個人都以道揆自許，從心而不從法，則下將凌上了。我想你讀書無甚心得，可能是涵泳、體察二語上注意不夠。」

曾國藩對兒子的這番詳盡的指示，完全是他自己讀書幾十年來的切身體會，對兒子極有啓發作用。曾紀澤認爲這是他今天與父親長談中獲益最大的部分，他決心按照父親所教的，將過去所讀的書再好好溫習一遍。

「早兩天，李壬叔要我爲他翻譯的《幾何原本》作一篇序言，把我難住了。」隔了一會，曾國藩又對兒子說，「我生平有三恥：天文算學毫無所知，雖恆星五緯亦不認識，這是一恥；作事有始無終，這是二恥；練字不能成自己的一體，又慢而廢事，這是三恥。現已過五十，要洗去這三恥，已不可能了，希望寄託在你們兄弟身上。壬叔的這篇序，就由你去寫。你透過寫序，好好向壬叔、雪村、若汀等人學習天文曆算。他們都是海內最負盛名的專家，學好了，也就爲父親洗去了這個恥辱。你做得到嗎？」

「兒子一定努力做到。」望著父親慈愛期望的目光，曾紀澤硬著頭皮答應了。

「好吧，夜很深了，你去睡吧，明天還得早起。」曾國藩說著站起來，曾紀澤隨後站起，向父親行了禮，轉身出門。

「甲三！」曾國藩叫住兒子，「我在信中一再跟你講，你的毛病在擧止太輕，語言太快，要你擧止穩重，發言訒訥。今夜你的發言倒還可以，但走路仍是輕飄飄的，一點都沒有改。」

紀澤垂手低頭，接受父親的教訓。曾國藩盯了一眼兒子身上穿的衣服，又說：「你這身打扮也太鮮麗了，明日要換掉。凡世家子弟，衣食起居無一不與寒士相同，方可望成大器；若沾染富貴氣習，則難望有成。我現在忝爲將相，所有衣服加起來值不得三百兩銀子，你們兄弟要謹守我家世代儉樸之風，這也是惜福之道。懂嗎？」

「懂！」紀澤恭恭敬敬地答。

「去睡吧！」曾國藩輕輕地對兒子一揮手。

待紀澤的背影完全消失在黑夜中，他才關好門窗，走進臥室。陳春燕提來一桶熱水，幫他脫去鞋襪。他把雙腳伸進熱度適中的水裏，慢慢地搓擦著，腦子裏又想起東進金陵的九弟來：半個月沒有信來了，他今夜駐營何地？

曾國藩

MEMO

曾國藩

MEMO

國家預行編目

曾國藩野焚／唐浩明著.--初版.--臺北縣中和市：
漢湘文化, 1993〔民 82〕
面；　公分.--（歷史經典；4-6）
ISBN　957-8753-05-5　（平裝）
857.7　　82002749

歷史經典五

曾國藩野焚・卷二（全書三卷——血祭、野焚、黑雨）

發 行 人／胡明威
作　　者／唐浩明
執行編輯／巫曉維
企劃印務／范揚松
行政秘書／余綺華　高伊姿
出 版 者／漢湘文化事業股份有限公司
台北縣中和市中山路二段三五〇號五樓
電話（02）22452239　傳真（02）22459154
E-mail:hanshian@mail.book4u.com.tw
郵撥帳號／1697754-9
户　　名／漢湘文化事業股份有限公司
電腦排版／陽明電腦排版公司
內文製版／俊昇印製事業股份有限公司
內文印刷／全力印刷有限公司
裝　　訂／吉翔裝訂印刷有限公司
電話（02）2962-7511
登 記 證／文聞・蔡兆誠・黃福雄・王玉楚律師
1993年4月初版一刷　2001年8月初版六刷
單本定價160元　套裝九本特價1,250元
本書透過中國湘普信息公司獲得國際中文繁體字版權

線上總代理◆華文網股份有限公司
網　　址◆http://www.book4u.com.tw
〔紙本書平台〕華文網網路書店
〔電子書平台〕Online Books 電子書中心　華文電子書中心
香港總經銷◆漢鴻圖書有限公司
香港九龍塘觀開源道55號開聯工業中心A座1226
電話：002-852-2343-8466　傳真：002-852-2343-8440

總經銷
旭昇圖書有限公司
地址：台北縣中和市中山路二段352號2F
電話：（02）2245-1480　傳真（02）2245-1479

廣	告	回	信

北區郵政管理局登記證
北 台 字6571號

免 貼 郵 票

漢湘文化事業股份有限公司

地址：台北縣中和市中山路二段350號5樓
電話：（02）2245-2239
傳真：（02）2245-9154

姓名：

性別：男　女

生日：　年　月　日

電話：（　）

傳真：（　）

地址：

請沿虛線剪下裝訂，謝謝！

讀者服務卡

謝謝您購買這本書。
爲加強對讀者的服務，請您詳細塡寫本卡各欄，寄回給我們（免貼郵票），您即可收到本公司的出版訊息。

您購買的書名/ ____________________

購買地點/ __________ 縣市 __________ 書店

教育程度/□高中以下（含高中） □大專 □大學 □研究所（含以上）

職　　業/ __________ 職位別/ __________

您目前迫切需要哪方面的知識？ __________

您覺得本書封面及內文美工設計/

□很好 □好 □差 □很差

您對書籍的寫作是否有興趣？

□沒有 □有（我們會盡快與您聯絡）

100字書評（請寫下您閱讀本書的心得及感想）

其他建議（請列出本書的錯別字，當另外致贈精美禮品）：

請沿虛線剪下後對折裝訂寄回，謝謝！